The 6th Edition Beginning Level

감정평가실무연습

PLUS 입문 Practice Tests

II
SOLUTION

For Applied Property Appraisal

김사왕
김승연
황현아

편저

會經社

머리말

가장 눈부신 청년시절을 신림동 고시촌에서 열정적으로 보냈던 추억은 감정평가업계에 들어와서도 큰 힘이 되고 있습니다. 그 시절 쌓았던 지식과 우정들은 현재 삶의 대부분을 차지하고 있습니다. 이러한 점은 현재 감정평가사를 꿈꾸는 수험생들을 보면서 강사 또는 선배로서의 책임과 의무를 무겁게 느끼게 합니다. 특히 이번 개정판을 집필하면서는 수험에 조금이라도 더 도움이 될 수 있는 교재가 될 수 있도록 노력하였습니다.

최근 감정평가실무 문제를 살펴보건 데 ① 순수 이론을 지양한 실제 현업에서 쟁점이 되었던 논점, ② 시대적 요청에 따른 선진 평가기법과 관련된 논점, ③ "공익사업을 위한 토지 등의 취득 및 보상에 관한 법률" 등 관계법령에 개정 취지와 그 적용과 관련된 논점, ④ 순수 계산 능력보다는 자료의 활용과 문제분석을 중시하는 논점 등이 새로운 출제경향으로 고착화되고 있습니다.

『PLUS 입문 감정평가실무연습』은 다음과 같은 내용으로 구성되었습니다.

1. 초심자의 접근성을 높이기 위해 개념위주의 문제를 구성하면서 기본이론과 연계성을 강화하였습니다.
2. 「문제편」과 「예시답안편」으로 구분하면서 관련규정 및 이론에 대한 부연 설명을 강화하였습니다.
3. 특히, 예시답안은 중급으로 가기위한 도구로서 목차의 구성 및 표현을 구체적이고 통일성을 갖추도록 하였습니다.

금번 『PLUS 입문 감정평가실무연습』의 개정과정에서 많은 시간 도움을 주신 모든 분들에게 감사의 말씀을 전합니다.

『PLUS 입문 감정평가실무연습』이 수험의 올바른 방향성을 제시하길 바라며, 여러분들의 건승을 기원합니다.

2024년 3월

편저자 씀

이 책의

차 례

chapter 09 목적별 평가

chapter 10 보상평가 연습

chapter 11

**보상평가
종합**

Chapter

02

비교방식 연습

연습문제 1 공시지가기준법 (10점)

I. 감정평가 개요

1. 감정평가 방법

토지는 감칙§12① 및 §14에 따라 공시지가기준법을 주된 방법으로 적용함.
감칙§12② 단서에 따라 대상물건의 특성 등으로 인하여 다른 방법을 적용하는 것이 곤란하거나
불필요한 경우 해당하여 주된 방법만 적용함.

2. 기준시점 및 기준가치

2025. 8. 31.(감칙§9②), 시장가치(감칙§5①)를 기준함.

II. (물음 1) 비교표준지의 선정

1. 선정기준(감칙 제14조 제2항 제1호)

인근지역에 있는 표준지 중에서 대상토지와 용도지역·이용상황·주변환경 등이 같거나 비슷한
표준지를 선정할 것. 다만, 인근지역에 적절한 표준지가 없는 경우에는 인근지역과 유사한
지역적 특성을 갖는 동일수급권 안의 유사지역에 있는 표준지를 선정할 수 있다.

2. 비교표준지 선정

대상부동산의 최유효이용은 상업지역에서의 상업용으로 판단되는바, 용도지역이 같고 상업용
으로 이용되는 #4를 적정한 가격자료로써 선정하기로 한다.

3. 제외 사유

#1, 2는 용도지역 및 이용상황이 상이하며, #3은 이용상황이 상이하여 배제한다.

III. (물음 2) 공시지가기준법

1. 시산가액(단가)

$$2,770,000 \times 1.01668 \times 1.000 \times \frac{100}{102} \times \frac{95}{95} \times 1.00 \qquad ≒ 2,760,000원/m^2$$

                시[1]   지   개   도   그

[1] (2025. 1. 1~2025. 8. 31 : K구 상업지역) $1.01237 \times \left(1 + 0.00426 \times \frac{31}{31}\right) ≒ 1.01668$

2. 감정평가액

$$2,760,000원/m^2 \times 200m^2 \qquad\qquad ≒ 552,000,000원$$

연습문제 **2** 둘 이상의 용도지역에 걸친 토지 ^(10점)

I. 처리개요

대상 토지는 K시 B동 소재하는 상업용으로서, 준주거와 2종일주에 속하는바, 감칙§7③에 따라 용도지역별로 구분 감정평가함.

II. 비교표준지 선정기준 (감칙 제14조 제2항 제1호)

인근지역에 있는 표준지 중에서 대상토지와 용도지역·이용상황·주변환경 등이 같거나 비슷한 표준지를 선정할 것. 다만, 인근지역에 적절한 표준지가 없는 경우에는 인근지역과 유사한 지역적 특성을 갖는 동일수급권 안의 유사지역에 있는 표준지를 선정할 수 있다.

III. 비교표준지 선정

1. 준주거지역 부분

용도지역, 이용상황 유사한 #200선정 (K시 B동 소재)

2. 2종일주 부분

용도지역, 이용상황, 공법상 제한이 유사한 #400선정

※ 표준지공시지가는 나지상정으로 평가하여 사적부담(지상권, 철거건물)은 반영되지 않고, 공법상 제한은 현황에 해당하여 반영된 상태로 평가됨.

> **Tip** 감칙 §7 개별물건기준 원칙 등
>
> ① 감정평가는 대상물건마다 개별로 하여야 한다.
> ② 둘 일체로 거래되거나 대상물건 상호 간에 용도상 불가분의 관계가 있는 경우에는 일괄하여 감정평가할 수 있다.
> ③ 하나의 대상물건이라이상의 대상물건이 도 가치를 달리하는 부분은 이를 구분하여 감정평가할 수 있다.
> ④ 일체로 이용되고 있는 대상물건의 일부분에 대하여 감정평가하여야 할 특수한 목적이나 합리적인 이유가 있는 경우에는 그 부분에 대하여 감정평가할 수 있다

연습문제 3 공시지가기준법 – 공법상제한 (10점)

Ⅰ. 감정평가 개요

1. 대상물건 개요

본건은 제2종일반주거지역 내 200m² 토지의 감정평가임.

2. 감정평가 방법

토지는 감칙§12① 및 §14에 따라 공시지가기준법을 주된 방법으로 적용함.
감칙§12② 단서에 따라 대상물건의 특성 등으로 인하여 다른 방법을 적용하는 것이 곤란하거나
불필요한 경우 해당하여 주된 방법만 적용함.

3. 기준시점 및 기준가치

2025. 8. 31.(감칙§9②), 시장가치(감칙§5①)를 기준함.

Ⅱ. 비교표준지의 선정

1. 선정기준 (감칙 제14조 제2항 제1호)

인근지역에 있는 표준지 중에서 대상토지와 용도지역·이용상황·주변환경 등이 같거나 비슷한
표준지를 선정할 것. 다만, 인근지역에 적절한 표준지가 없는 경우에는 인근지역과 유사한
지역적 특성을 갖는 동일수급권 안의 유사지역에 있는 표준지를 선정할 수 있다.

2. 비교표준지 선정

용도지역·이용상황 등이 유사한 일련번호 2를 선정한다.

Ⅲ. 토지 감정평가액

1. 시점수정치(2025. 1. 1~2025. 8. 31)

$$1.14625 \times \left(1 + 0.01600 \times \frac{62}{30}\right) \qquad ≒ 1.18415$$

2. 개별요인 비교치

1) 행정적요인(도시계획시설저촉 보정)

$$\frac{200}{150 + 50 \times 0.7} \qquad ≒ 1.081$$

※ 공시지가는 나지 상정평가로 건부감가를 반영하지 않으며, 도시계획시설도로에 따른 저촉은 30%의 감가가
　존재하므로 이를 보정함(공시지가는 나지 상정평가로 건부감가는 고려 안함)

2) 개별요인비교치

$$1.081 \times \underset{\text{개}}{\frac{100}{101}} \times \underset{\text{세}}{\left(\frac{100}{80} \times \frac{90}{100}\right)} \times \underset{\text{형}}{\frac{100}{100}} \times \underset{\text{도}}{\frac{110}{110 \times 1.05}} \qquad \fallingdotseq 1.147$$

_행

3. 시산가액 (단가)

$$1,400,000 \times 1.18415 \times \underset{\text{지}}{\frac{100}{100}} \times \underset{\text{개}}{1.147} \times \underset{\text{그}}{1.00} \qquad \fallingdotseq 1,900,000\text{원}/\text{m}^2$$

_시

4. 감정평가액

$$1,900,000\text{원}/\text{m}^2 \times 200\text{m}^2 \qquad \fallingdotseq 380,000,000\text{원}$$

Tip 표준지 공시지가 평가기준 (§15 내지 §19)

1. 적정가격 기준 평가 : 당해 토지에 대하여 통상적인 시장에서 정상적인 거래가 이루어지는 경우 성립될 가능성이 가장 높다고 인정되는 가격으로 평가
2. 실제용도 기준 평가
   ① 공시기준일 현재의 이용상황을 기준
   ② 일시적 이용상황은 고려 안함
3. 나지상정 평가 : 지상 건축물 및 사법상 권리를 고려하지 않고 나지 상태를 상정하여 평가
4. 공법상 제한상태 기준 평가 : 일반적 계획제한 분만 아니라, 개별적 계획제한도 제한 받는 상태 기준
5. 개발이익 반영평가
   ① 개발이익은 반영하여 평가
   ② 공시기준일 현재 현실화 · 구체화되지 아니하였다고 인정되는 경우 제외

연습문제 **4**   지역요인 평점 (5점)

1. 개요 : Y지역 내 표준지공시지가를 기준한다.

2. X지역의 지역평점(x)

$$880,000 \times 1.05805 \times \underset{\text{지}}{\frac{x}{100}} \times \left(\underset{\text{도}}{\frac{1}{1.1}} \times \underset{\text{형}}{1} \times \underset{\text{세}}{1}\right) \times \underset{\text{면}}{1,040} \qquad ≒ 756,957,000$$

$$\underset{\text{시}^{1)}}{}$$

$$\langle \therefore x ≒ 86\rangle$$

1) (2025. 1. 1~2025. 8. 31) : $1.04961 \times \left(1 + 0.00804 \times \frac{31}{31}\right) ≒ 1.05805$

연습문제 **5**   지역요인 비교치 (10점)

1. A동 : 최유효이용인 사례기준

$$(\underset{\text{\#1}}{1,050,000} + \underset{\text{\#4}}{1,000,000}) \times \frac{1}{2} \qquad\qquad ≒ 1,025,000/m^2$$

2. B동 : #5와 #6은 건물가액이 포함되어 배제하고, #8은 최유효이용에 미달하여 배제함.
   #7 : $1,330,000/m^2$

3. C동 : 최유효이용 사례를 선정함

$$(\underset{\text{\#9}}{1,350,000} + \underset{\text{\#10}}{1,370,000}) \times \frac{1}{2} \qquad\qquad ≒ 1,360,000m^2$$

4. D동 : 최유효이용 사례기준하여 선정함.   #13, #14 건물가액 포함된 바 배제함.

$$(\underset{\text{\#15}}{1,400,000} + \underset{\text{\#16}}{1,420,000}) \times \frac{1}{2} \qquad\qquad ≒ 1,410,000m^2$$

5. B동(대상지역) 기준 평점

$$A : B : C : D ≒ \frac{1,025}{1,330} : \frac{1,330}{1,330} : \frac{1,360}{1,330} : \frac{1,410}{1,330} ≒ 77.1 : 100 : 102.3 : 106.0$$

연습문제 6 그 밖의 요인 보정 1 ^(15점)

I. 감정평가 개요

1. **감정평가 목적** : 공유재산(공유지)의 처분을 위한 감정평가임.

2. **기준가치** : 「감정평가에 관한 규칙」 제5조 제1항에 따라 대상물건에 대한 감정평가액은 시장가치를 기준으로 결정하였음.

3. **기준시점** : 「감정평가에 관한 규칙」 제9조 제2항에 따라 대상물건의 가격조사를 완료한 날짜인 2025.09.05임.

II. 토지 감정평가 (공시지가기준법)

1. **비교표준지 선정** : 2종일주, 주거나지, 제시된 표준지 선정

2. **시점수정(지가변동률 결정 : 2025.01.01.~2025.09.05)**
   비교표준지가 속한 서울특별시 A구 주거지역 지가변동률 적용함. (시점수정치 : 1.00057)

3. **그 밖의 요인 보정치**
   ① 거래사례 등의 선정 : 비교가능성 있는 제시된 평가사례 선정
   ② 비교표준지의 격차율 (그 밖의 요인 보정치)

$$\frac{5,700,000 \times 1.00221 \times 1 \times 1/1.18}{3,220,000 \times 1.00057 \times 1} \qquad ≒ 1.50$$

4. **공시지가기준법에 의한 시산가액**
   $3,220,000 \times 1.00057 \times 1.000 \times 1.000 \times 1.50$ ≒ 4,830,000원/㎡

   $\langle \times \ 1,000 ≒ 4,830,000,000원 \rangle$

III. 감정평가액 결정

「감정평가에 관한 규칙」 제12조 제2항 단서에 따라 대상물건의 특성 등으로 인하여 다른 감정평가방법을 적용하는 것이 곤란하거나 불필요한 경우에 해당하는 것으로 판단하였으며, 동 규칙 제14조에 따른 공시지가기준법에 의한 시산가액의 합리성이 인정되는 것으로 판단하여 그 시산가액인 4,830,000,000원을 감정평가액으로 결정하였음.

연습문제 7 그 밖의 요인 보정 2 ^(15점)

Ⅰ. 개요

공시지가기준법 적용을 위한 그 밖의 요인 보정치를 산정함(기준시점 : 2025.9.5.).

Ⅱ. (물음 1)

〈감정평가실무기준 610 토지 및 그 정착물 – 1.5.2.5 그 밖의 요인 보정〉

① 시점수정, 지역요인 및 개별요인의 비교 외에 대상토지의 가치에 영향을 미치는 사항이 있는 경우에는 그 밖의 요인 보정을 할 수 있다.

② 그 밖의 요인을 보정하는 경우에는 대상토지의 인근지역 또는 동일수급권 안의 유사지역의 정상적인 거래사례나 평가사례 등을 참작할 수 있다.

③ 제2항의 거래사례 등은 다음 각 호의 요건을 갖추어야 한다.

    1. 용도지역등 공법상 제한사항이 같거나 비슷할 것

    2. 이용상황이 같거나 비슷할 것

    3. 주변환경 등이 같거나 비슷할 것

    4. 지리적으로 가능한 한 가까이 있을 것

④ 그 밖의 요인 보정을 한 경우에는 그 근거를 감정평가서(감정평가액의 산출근거 및 결정의견)에 구체적이고 명확하게 기재하여야 한다.

Ⅲ. (물음 2) 그 밖의 요인 보정치

1. 비교표준지 기준 단가

  1) 비교표준지 선정

    용도지역, 이용상황 유사한 #400선정(K시 C동 소재)

  2) 비교표준지 기준 단가

$$\underset{\substack{(1.1-9.5)}}{1,321,000 \times 1.02701} \times \underset{\substack{\text{지}\\ \text{B/C}}}{0.978} \times \underset{\substack{\text{개}^{1)}}}{0.846} \quad\fallingdotseq 1,122,500/m^2$$

$$1) \underset{\substack{\text{도}}}{1.08} \times \underset{\substack{\text{고}}}{0.78} \times \underset{\substack{\text{형}}}{0.97} \times \underset{\substack{\text{저촉}}}{\frac{1}{(0.23\times0.85+0.77\times1)}}$$

2. 거래사례 등 기준 단가

1) 거래사례 등 선정
'C동, 2종일주, 상업용' #2를 기준함.(#3는 담보 목적으로 비교성 떨어지므로 배제)

2) 거래사례 등 기준 단가

$$1,800,000 \times \underset{\text{시}^{1)}}{1.02621} \times \underset{\text{지}^{2)}}{0.978} \times \underset{\text{개}^{3)}}{0.749} \fallingdotseq @1,353,098/m^2 \;^{4)}$$

1) (2025.1.18.~2025.9.5. 주거)

$$(1+0.00143\times\frac{14}{31})\times 1.00272 \times \cdots \times 1.00377 \times (1 + 0.00377 \times \frac{36}{31}) \fallingdotseq 1.02621$$

2) $(\frac{\text{B동}}{\text{C동}}) \fallingdotseq \frac{100}{102.3} \fallingdotseq 0.978$

3) $\underset{\text{도}}{0.96} \times \underset{\text{고}}{0.78} \times \underset{\text{형}}{1.00} \fallingdotseq 0.749$

4) 대상토지의 정상적인 "垈地" 부분을 기준함.

3. 그 밖의 요인 보정치

2. ÷ 1. $\fallingdotseq 1.20$

Tip 그 밖의 요인 보정치 산식

1. 그 밖의 요인 보정 순서
   ① 그 밖의 요인 보정의 필요성 및 근거
   ② 거래사례등 기준 격차율 산정
   ③ 실거래가 분석 등을 통한 검증
   ④ 그 밖의 요인 보정치의 결정

2. 격차율 산정방식
   ① 대상토지 기준 산정방식

   $$\frac{\text{거래사례등 단가} \times \text{사정보정} \times \text{시점수정} \times \text{지역요인비교} \times \text{개별요인비교}}{\text{표준지공시지가} \times \text{시점수정} \times \text{지역요인비교} \times \text{개별요인비교}}$$

   ② 표준지 기준 산정방식

   $$\frac{\text{거래사례등 단가} \times \text{사정보정} \times \text{시점수정} \times \text{지역요인비교} \times \text{개별요인비교}}{\text{표준지공시지가} \times \text{시점수정}}$$

연습문제 8 거래사례비교법 (토지) (10점)

I. 감정평가 개요

1. 감정평가 방법

토지는 감칙§12① 및 §14에 따라 공시지가기준법을 주된 방법으로 적용하나, 감칙§12① 단서에 따라 주된 방법을 적용하는 것이 곤란하거나 부적절한 경우에 해당하여 거래사례비교법을 주된 방법으로 적용하고,

감칙§12② 단서에 따라 대상물건의 특성 등으로 인하여 다른 방법을 적용하는 것이 곤란하거나 불필요한 경우 해당하여 주된 방법만 적용함.

2. 기준시점 및 기준가치

2025. 8. 31.(감칙§9②), 시장가치(감칙§5①)를 기준함.

II. 거래사례 선정

1. 선정기준 〈감정평가실무기준 610-1.5.3.1 거래사례의 선정〉

대상과 용도지역, 이용상황, 주위환경 등이 동일 유사하고, 지리적으로 인접한 거래사례로서 비교가능성 높은 거래사례를 선정함.

2. 거래사례 선정

거래사례2는 시점수정이 불가능하며, 거래사례3은 건물과 부지의 부적응상태로 보아 최유효이용에 미달하는 것으로 판단되는바 이들을 제외하고, 이용상황, 요인비교가능성, 시점수정가능성의 측면에서 가격자료로써 적정한 거래사례1을 선정함.

III. 거래사례비교법

1. 사정보정 (사례가격현금등가(2024. 12. 22 기준))

1) 현금 :   340,000,000

2) 대출금 : $400,000,000 \times \dfrac{0.1/12}{\underset{mc}{1-(1+0.1/12)^{-120}}} \times \dfrac{\underset{pvaf}{1-1.01^{-100}}}{0.01}$ = 333,192,000

3) 전세금 :   50,000,000

4) 철거비 등 : 5,000,000 − 3,500,000   ≒ 1,500,000

계 :   724,692,000

2. 시점수정치 (2024. 12. 22~2025. 8. 31 : D구 상업지역)

$$\left(1 + 0.00045 \times \frac{10}{31}\right) \times 1.02477 \times \left(1 + 0.00232 \times \frac{31}{31}\right) \qquad ≒ 1.02730$$

3. 개별요인 비교치

$$\frac{100}{93.4} \times \frac{95}{95} \qquad\qquad\qquad ≒ 1.071$$

$$\underset{개^{1)}}{} \qquad \underset{도}{}$$

1) 사례평점 : $\frac{6 \times 8}{300} \times 85 + \frac{(12+6) \times 14}{300} \times 95 ≒ 93.4$

4. 시산가액 (단가)

$$724{,}692{,}000 \times \underset{사}{1} \times \underset{시}{1.02730} \times \underset{지}{\frac{102}{100}} \times \underset{개}{1.071} \times \underset{면}{\frac{1}{300}} \qquad ≒ 2{,}710{,}000원/m^2$$

5. 감정평가액

$$2{,}710{,}000원/m^2 \times 200m^2 \qquad\qquad\qquad ≒ 542{,}000{,}000원$$

연습문제 9 한정가치 1 (10점)

I. 합병으로 인한 증분가치

18,000,000,000 - 9,000,000,000 - 4,000,000,000 ≒ 5,000,000,000

II. 적정매입가격

1. 기여도 비율

$$\frac{18,000,000,000 - 9,000,000,000}{18,000,000,000 \times 2 - 9,000,000,000 - 4,000,000,000} ≒ 0.391$$

2. 결정

4,000,000,000 + 5,000,000,000 × 0.391 ≒ 5,955,000,000

연습문제 **10** 한정가치 2 ^(15점)

I. 증분가치

$$1,100,000,000 \underset{\text{병합 후}}{} - 276,000,000 \underset{\text{A토지}}{} - 396,000,000 \underset{\text{B토지}}{} \qquad ≒ 428,000,000$$

II. 배분율

1. (물음 1) 단가비율

$$\frac{990,000}{990,000 + 460,000} \qquad ≒ 68.3\%$$

2. (물음 2) 면적비율

$$\frac{400}{600 + 400} \qquad ≒ 40.0\%$$

3. (물음 3) 총액비율

$$\frac{396,000,000}{276,000,000 + 396,000,000} \qquad ≒ 58.9\%$$

4. (물음 4) 구입한도액비율

$$\frac{(1,100,000,000 - 276,000,000)}{(1,100,000,000 - 396,000,000) + (1,100,000,000 - 276,000,000)} \qquad ≒ 53.9\%$$

III. B토지 한정가치

1. (물음 1) 단가비율 : 396,000,000 + 428,000,000 × 68.3%   ≒ 688,324,000
2. (물음 2) 면적비율 : 396,000,000 + 428,000,000 × 40.0%   ≒ 567,200,000
3. (물음 3) 총액비율 : 396,000,000 + 428,000,000 × 58.9%   ≒ 648,092,000
4. (물음 4) 구입한도액비율 : 396,000,000 + 428,000,000 × 53.9%   ≒ 626,692,000

연습문제 11 거래사례비교법 (사정보정, 한정가치) (15점)

Ⅰ. 감정평가 개요

1. 감정평가 방법

토지는 감칙§12① 및 §14에 따라 공시지가기준법을 주된 방법으로 적용하나, 감칙§12① 단서에 따라 주된 방법을 적용하는 것이 곤란하거나 부적절한 경우에 해당하여 거래사례비교법을 주된 방법으로 적용하고,

감칙§12② 단서에 따라 대상물건의 특성 등으로 인하여 다른 방법을 적용하는 것이 곤란하거나 불필요한 경우 해당하여 주된 방법만 적용함.

2. 기준시점 및 기준가치

2025. 8. 31.(감칙§9②), 시장가치(감칙§5①)를 기준함.

Ⅱ. 거래사례비교법

1. 사례의 선택

위치·물적 유사성 및 시점수정·사정보정가능성 등을 고려하여 사례1, 2 모두를 선택한다.

2. 사례1에 의한 비준가액

1) 토지만의 거래가격

$$380,000,000 \times \underbrace{(0.5+0.5/1.12)}_{금융보정} \times \underbrace{100/95}_{사정보정} - \underbrace{100,000,000}_{건물가액} ≒ 278,571,000원$$

2) 비준가액

$$278,571,000 \times \underbrace{1.09843}_{시^{1)}} \times \underbrace{\frac{105}{100}}_{지} \times \underbrace{\frac{100}{90}}_{개} \times \underbrace{1}_{세} \times \underbrace{1}_{형} \times \underbrace{\frac{110}{105}}_{도} \times \underbrace{\frac{1}{195}}_{면}$$

$$≒ 1,920,000원/m^2$$

$$\langle \times 200 = 384,600,000원 \rangle$$

1) 2025. 4. 1~2025. 8. 31(주거지역) : $1.021 \times 1.025 \times 1.016 \times (1 + 0.016 \times \frac{62}{30}) ≒ 1.09843$

3. 사례2에 의한 비준가액

1) 사례토지의 적정가액

(1) B지의 증분가치배분액(A지의 단가를 χ 라고 하면)

$$25\chi \times \frac{3}{4} \fallingdotseq 18.75\chi$$

※ 증분가치 총액 : $250 \times \frac{4}{5}\chi - \left(100\chi + 150 \times \frac{1}{2}\chi\right) \fallingdotseq 25\chi$

(2) 사례토지의 적정가액

$$260,000,000 \fallingdotseq 150 \times \frac{1}{2}\chi + 18.75\chi$$

∴ $\chi \fallingdotseq 2,773,000$원$/\text{m}^2$

∴ B지의 정상거래 가격은 $2,773,000 \times \frac{1}{2}$ $\fallingdotseq 1,390,000$원$/\text{m}^2$

2) 비준가액

$$1,390,000 \times \underset{\text{사}}{1} \times \underset{\text{시}}{1.18415^{1)}} \times \underset{\text{지}}{1} \times \underset{\text{개}}{\frac{100}{92}} \times \underset{\text{세}}{1} \times \underset{\text{형}}{1} \times \underset{\text{도}}{\frac{110}{100}}$$

$$\fallingdotseq 1,970,000\text{원}/\text{m}^2$$

$$\langle \times 200 = 394,000,000\text{원}\rangle$$

1) 2025. 1. 1~2025. 8. 31 : $1.14625 \times (1 + 0.016 \times \frac{62}{30}) \fallingdotseq 1.18415$

※ 사례토지는 합병 전 매입된 사례로서 맹지, 가장형이며, 면적비교는 단가끼리 비준하고 있으므로 생략한다.

연습문제 **12** 거래사례비교법 (집합건물) (15점)

I. 감정평가 개요

1. 감정평가 방법

집합건물(구분건물)은 감칙§12① 및 §16에 따라 거래사례비교법을 주된 방법으로 적용함. 감칙§12② 단서에 따라 대상물건의 특성 등으로 인하여 다른 방법을 적용하는 것이 곤란하거나 불필요한 경우 해당하여 주된 방법만 적용함.

구분소유권의 대상이 되는 건물부분과 그 대지사용권을 일괄하여 감정평가하는 등에 해당하여 감칙§7② 따라 토지와 건물을 일괄하여 감정평가하였음.

2. 기준시점 및 기준가치

2025. 8. 31.(감칙§9②), 시장가치(감칙§5①)를 기준함.

II. 대상부동산 감정평가액 산정

1. 사례선정

1) 위치·이용상황(주거) 구분소유 거래인 〈사례 #3〉

2) 사례 단가 : 231,000,000 ÷ 45 ≒ 5,130,000

2. 시점수정치 : 1.002^8 ≒ 1.01611

3. 지역요인 비교치 : 1.000

4. 개별요인 비교치 :

$$1.00 \times 1.00 \times (\frac{28.3}{27.9} \times \frac{98}{80}) ≒ 1.243$$

단지 외부 　단지 내부 　개별요인 (층,호)

5. 산출단가

5,130,000 × 1 × 1.01611 × 1 × 1.243 ≒ 6,480,000

6. 시산가액 (감정평가액 결정)

6,480,000 × 97.1 ≒ 629,000,000원

집합건물의 감정평가로서 주된 방법(거래사례비교법)에 의한 시산가액을 감정평가액으로 결정함.

연습문제 **1** 가산방식 (조성원가법) (15점)

I. 감정평가 개요

1. 감정평가 방법

토지는 감칙§12① 및 §14에 따라 공시지가기준법을 주된 방법으로 적용하나, 감칙§12① 단서에 따라 주된 방법을 적용하는 것이 곤란하거나 부적절한 경우에 해당하여 조성원가법을 주된 방법으로 적용하고,

감칙§12② 단서에 따라 대상물건의 특성 등으로 인하여 다른 방법을 적용하는 것이 곤란하거나 불필요한 경우 해당하여 주된 방법만 적용함.

2. 기준시점 및 기준가치

2025. 8. 1.(감칙§9②), 시장가치(감칙§5①)를 기준함.

II. 소지가액

1. 공시지가기준법 (용도지역·이용상황 등 동일한 표준지 적용)

$$100,000 \times 1.01929 \times 1 \times 98/101 \times 80/85 \times 1.00 \doteqdot 93,000원/m^2$$
$$ 시^{1)} 지 개 도 그$$

1) (2025. 1. 1~2025. 8. 1 : 계획관리) $1.01459 \times \left(1 + 0.00434 \times \dfrac{32}{30}\right) \doteqdot 1.01929$

2. 거래사례비교법 (용도지역·이용상황 등을 고려하여 사례 1)

$$375,000,000 \times \frac{100}{90} \times 1.00463 \times \frac{98}{100} \times \frac{98}{100} \times \frac{1}{4000} \doteqdot 101,000원/m^2$$
$$ 사 \phantom{\times \frac{100}{90} \times} 시^{1)} 지 \phantom{\times \frac{98}{100} \times} 개 \phantom{\times \frac{98}{100} \times} 면$$

1) 2025. 7. 1~2025. 8. 1(계획관리) $\left(1 + 0.00434 \times \dfrac{32}{30}\right) \doteqdot 1.00463$

3. 소지가액 결정

거래사례비교법에 의한 시산가액에 의해 공시지가기준가액의 합리성이 인정되는바 공시지가기준가액으로 결정함

$93,000 \times 5,000m^2 \doteqdot 465,000,000원$

Ⅲ. 준공시점 (기준시점) 조성택지

1. 소지가격 :
465,000,000원

2. 조성공사비 등
(95,000 × 5,000) × (1 + 0.1 + 0.05)   ≒ 546,250,000원

3. 감정평가액 결정
(465,000,000 + 546,250,000)   ≒ 1,011,250,000원

〈단가 : 1,011,250,000 ÷ 3,250m² ≒ @311,000원/m²〉

※ 조성택지 면적 : 5,000×(1 – 0.35) 감보율 고려

> **Tip** 가산방식 (조성원가법) 요약
>
> 1. 준공시점 기준 토지가액
>   ① 소지가액 : 소지매입비용×시점수정
>   ② 조성비용 : 조성공사비, 개발부담금, 개발업자 적정이윤 등
>
> 2. 기준시점 기준 토지가액
>   준공시점 기준 토지가액 ÷ 유효택지면적×성숙도수정
>   ※ 성숙도 수정 – 일반적으로 지가변동률 적용
>   ※ 조성사례 : 준공시점 사례토지가액×사×시×지×개
>   ※ 시점수정 방법
>
>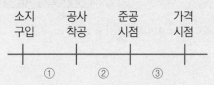
>
> | 소지 | 공사 | 준공 | 가격 |
> | 구입 | 착공 | 시점 | 시점 |
>
>   ①   ②   ③
>
> ① 지가변동 ② 지가변동 ③ 지가변동
> ① 지가변동 ② 투하자본 ③ 지가변동
> ① 투하자본 ② 투하자본 ③ 지가변동

연습문제 2 (토지분양) 개발법 (15점)

I. 감정평가 개요

1. 감정평가 방법

토지는 감칙§12① 및 §14에 따라 공시지가기준법을 주된 방법으로 적용함.
감칙§12②에 따라 다른 방법(개발법)을 적용하여 주된 방법에 의한 시산가액의 합리성을 검토

2. 기준시점 및 기준가치

2025. 8. 31.(감칙§9②), 시장가치(감칙§5①)를 기준함.

II. 공시지가기준법

1. 비교표준지 선정

용도지역 및 이용상황 등을 고려하여 공시지가 #1 선정함.

2. 시산가액

$$430,000 \times 1.02415 \times 1.000 \times \frac{100}{97} \times 1.00 ≒ 454,000원/m^2$$

시[1]   지   개   그

$$\langle \times 3,000 ≒ 1,362,000,000원\rangle$$

1) (2025. 1. 1~2025. 8. 31 : 주거지역) $1.05220 \times \left(1 - 0.0129 \times \frac{62}{30}\right) ≒ 1.02415$

III. 개발법

1. 개요 (개발계획)

1) 유효택지면적 : $3,000 \times (1 - 0.4) ≒ 1,800m^2$
2) 분양획지수 : $1,800 \div 200m^2 ≒ 9$획지(주거용 6획지, 상업용 3획지)

2. 분양수입의 현가

1) 조성택지의 가격

$$(925,000 \times 3 + 870,000 \times 6) \times 200 ≒ 1,599,000,000원$$

2) 현가액

$$1,599,000,000 \times (0.2/1.01^7 + 0.3/1.01^8 + 0.5/1.01^{10}) ≒ 1,465,055,000원$$

3. 개발비용의 현가

1) 조성비 : $5,000 \times 3,000m^2 \times 0.5 \times (1/1.01^4 + 1/1.01^5)$ ≒ 14,343,000원

2) 공공시설부담금 : $100,000 \times 9 \div 1.01^3$ ≒ 874,000원

3) 판매관리비 : $1,465,055,000 \times 0.03$ ≒ 43,952,000원

4) 업자이윤 : $1,465,055,000 \times 0.05$ ≒ 73,253,000원

5) 합계 ≒ 132,422,000원

4. 시산가액 (적산가액)

1,465,055,000 – 132,422,000 ≒ 1,332,633,000원

$\langle \div 3,000 ≒ @444,000원/m^2 \rangle$

IV. 시산가액 조정 및 감정평가액의 결정

감정평가에 관한 규칙 제12조 제1항 및 제14조에 따른 토지의 주된 방법(공시지가기준법)에 의한 시산가액과 동 규칙 제12조 제2항에 따라 다른 감정평가방식(개발법)에 의한 시산가액이 유사하고 주된 방법에 의한 시산가액의 합리성이 인정되므로 주된 방법(공시지가기준법)에 의한 시산가액 〈1,362,000,000원〉으로 결정하였음.

Tip 개발법 요약

1. 분양수입현가 : 분양가능면적 및 분양필지수 : 전체면적×(1 – 감보율) ÷ 정상필지규모
2. 개발비용현가
3. 유의사항
   ① 분양단가 산정시점을 명확히 확인할 것
   ② 현가시 할인율 : 토지가격 평가시에는 시장이자율
      투자성판단시에는 투자자의 요구수익률

   ※ 분양개발법과 전통적 공제방식의 구분
      ① 분양개발법은 소지구입시점을 기준으로 분양가격의 현가액에서 조성비용 등의 현가액을 차감하여 소지의 가격을 산정하는 방법이고 ② 전통적 공제방식은 준공시점을 기준으로 총분양가격에 공사비를 공제한 가격에 미성숙도 수정을 거쳐 소지가격을 산정하는 방법이다. ③ 양자 모두 소지를 구하는 공제방법이지만 개발법의 경우 "소지구입시점 기준" "할인과정에서 토지구입액의 금리가 분양가액에서 배제되므로 금리를 별도로 고려치 않음"에 있다.

연습문제 **3** (건물분양) 개발법 (20점)

I. 기본적사항의 확정

1. 기준시점 : 2025.9.1.

2. 기준가치 : 시장가치

3. 감정평가 목적 : 일반거래 (시가 참고)

4. 감정평가 조건 :

대상토지 지상 철거예정의 건물이 소재함에도 불구하고 의뢰인의 요청에 따라 나지상정 토지평가함.

합리성, 합법성, 실현가능성은 거래관행 및 사회통념상 인정되는 것으로 판단함.

II. 공시지가기준법

대상부동산의 최유효이용과 동일한 용도이며, 용도지역이 유사한 #4를 택함.

$$2,400,000 \times \underset{시^{1)}}{1.05367} \times \underset{지}{\frac{100}{100}} \times \underset{개}{\frac{100}{95}} \times \underset{도}{\frac{100}{104}} \times \underset{그}{1.00} \qquad \fallingdotseq 2,560,000원/m^2$$

$$\langle \times 500 \fallingdotseq 1,280,000,000원 \rangle$$

1) (2025. 1. 1~2025. 9. 1 : 상업지역) : $1.04292 \times (1 + 0.00999 \times \frac{32}{31}) \fallingdotseq 1.05367$

III. 개발법 (분양사례기준)

1. 개발개요

- 분양가능면적 : $2,000 \times 0.6$ $\fallingdotseq 1,200m^2$(각 층 $240m^2$)

2. 총분양수입의 현가

1) 총분양수입

$$@4,150,000원/m^{2\,1)} \times (\underset{1층}{\frac{100}{100}} + \underset{2층}{\frac{67}{100}} + \underset{3층}{\frac{56}{100}} + \underset{4,\,5층}{\frac{53}{100}} \times 2) \times 240m^2 \fallingdotseq 3,276,840,000$$

1) 격차보정 : 분양사례와 대상1층의 분양가는 동일함.

2) 분양수입의 현가 $3,276,840,000 \times \left(\dfrac{0.2}{1.01^6} + \dfrac{0.3}{1.01^9} + \dfrac{0.5}{1.01^{12}} \right)$ ≒ 2,970,244,000

3. 개발비용의 현가

1) 건축공사비의 현가

$1,526,568,000 \times \left(\dfrac{0.2}{1.01^2} + \dfrac{0.3}{1.01^6} + \dfrac{0.5}{1.01^{10}} \right)$ ≒ 1,421,718,000

2) 판매관리비의 현가

$\underset{\text{총분양수입}}{3,276,840,000} \times 0.065 \times 0.5 \times \left(\dfrac{1}{1.01^6} + \dfrac{1}{1.01^{12}} \right)$ ≒ 194,836,000

3) 개발비용의 현가(계) ≒ 1,616,554,000

4. 대상 토지가액

(2,970,244,000 − 1,616,554,000) ≒ 1,353,690,000원

⟨÷500 ≒ 2,707,000원/㎡⟩

Ⅳ. 시산가액 조정 및 감정평가액의 결정

감정평가에 관한 규칙 제12조 제1항 및 제14조에 따른 토지의 주된 방법(공시지가기준법)에 의한 시산가액과 동 규칙 제12조 제2항에 따라 다른 감정평가방식(개발법)에 의한 시산가액이 유사하고 주된 방법에 의한 시산가액의 합리성이 인정되므로 주된 방법(공시지가기준법)에 의한 시산가액 ⟨1,280,000,000원⟩으로 결정하였음.

연습문제 4 재조달원가 ^(5점)

준공시점(2021. 6. 1)을 기준으로 하는바 이에 대한 항목조정과 시점수정을 행한다.

Ⅰ. 적정원가 (2021. 6. 1)

1. 직접비

$$379,450,000 - (1,050,000 + 2,000,000)^{1)} \qquad ≒ 376,400,000$$
울타리   조경

1) 대상 건물평가와는 무관한 구축물부분이므로 제외함.

1) 주체부분 : 297,950,000 - (1,050,000 + 2,000,000)   ≒ 294,900,000(78.3%)

2) 부대부분 :   ≒ 81,500,000(21.7%)

2. 적정원가

$$376,400,000 \times (1 + 0.3) \qquad ≒ 489,320,000$$
간접비 · 기업이윤

Ⅱ. 재조달원가

$$489,320,000 \times 1 \times 1.12551 \qquad ≒ 550,735,000$$
사   시¹⁾

1) (2021. 6. 1~2025. 6. 1 : 건축비상승률) : $1.03^4 ≒ 1.12551$

연습문제 5 재조달원가 (부대설비 보정) (15점)

Ⅰ. 직접법 (도급계약서기준)

1. 단가 : $1,600,000 \times 1 \times 1$ ≒ $1,600,000원/m^2$

2. 총액 : $1,600,000 \times 13,000.0m^2$ ≒ $20,800,000,000원$

Ⅱ. 간접법 (신축단가표 기준)

1. 부대설비 보정단가

일련번호	단가(원/m²)	산출내역
① 위생설비	50,000	
② 방송설비	6,000	
③ TV공시청	6,000	
④ 화재탐지	12,000	
⑤ 옥내소화전	9,230	$4,000,000 \times 30개 \div 13,000$(연면적)
⑥ 스프링클러	20,920	$170,000 \times 1,600개 \div 13,000$
⑦ 수변전	21,540	$200,000 \times 1,400KVA \div 13,000$
⑧ 가스발전기	18,460	$750,000 \times 320kw \div 13,000$
⑨ E/V	15,920	$69,000,000 \times 3대 \div 13,000$
⑩ 냉난방설비	170,000	
합 계	330,000	

2. 간접법에 의한 단가

$(\underset{\text{표준단가}}{1,380,000} + \underset{\text{부대설비}}{330,000})$ ≒ @$1,710,000/m^2$

3. 총액

$1,710,000 \times 13,000.0m^2$ ≒ $22,230,000,000원$

연습문제 6 건물원가법 (정액법, 정률법) (15점)

I. 감정평가개요

 1. 방침 : 대상건물의 시장가치를 원가법(정액법, 정률법)에 의해 산정함.

 2. 대상물건 개요 : 철큰콘크리트구조 근린생활시설(상가), 4년 경과, 연면적 $1,200m^2$

 3. 기준시점 : 가격조사완료일 2025.06.13.

II. (물음1) 대상건물 재조달원가

 1. 표준단가 : 점포및상가, 철근콘크리트조   ≒ 1,470,000원/m^2

 2. 부대설비 보정단가 : 점포및상가
  20,000 + 30,000 + 50,000   ≒ 100,000원/m^2

 3. 단가 : 1,470,000 + 100,000   ≒ 1,570,000원/m^2

 4. 재조달원가 : 1,570,000 × $1,200m^2$ ≒ 1,884,000,000원

III. (물음2) 정액법

 1. 산식 : 재조달원가×잔존년수/경제적 내용년수

 2. 시장가치 : 1,884,000,000 × 46/50   ≒ 1,733,280,000원

III. (물음3) 정률법

 1. 산식 : 재조달원가 × (1 - 감가율)^경과년수

 2. 시장가치 : 1,884,000,000 × $(1 - 0.1)^4$ ≒ 1,112,483,000원

연습문제 **7** 분해법 (20점)

I. 감정평가 개요

1. 감정평가 방법

건물은 감칙§12① 및 §15에 따라 원가법을 주된 방법으로 적용하였음.

감칙§12② 단서에 따라 대상물건의 특성 등으로 인하여 다른 방법을 적용하는 것이 곤란하거나 불필요한 경우 해당하여 주된 방법만 적용함.

2. 기준시점 및 기준가치

2025. 8. 1(감칙§9②), 시장가치(감칙§5①)를 기준함.

II. 재조달원가

1. 주체부분

$143{,}110{,}000 \times 1.27 \times 1.11429^{1)}$ ≒202,522,000원

1) (건축비지수 2022.8.1~2025.8.1) : $\dfrac{2025.8 \, 건축비지수}{2022.8 \, 건축비지수} = \dfrac{117}{105} ≒ 1.11429$

2. 부대부분

$41{,}120{,}000 \times 1.27 \times 1.11429$ ≒ 58,191,000원

3. 합계

1. + 2. ≒ 260,713,000원

III. 감가수정 및 건물가액

1. 물리적 감가

1) 회복가능 ≒ 900,000원

2) 회복불가능

(1) 부대항목

$4{,}023{,}000 \underset{배}{} \times 3/20 + 7{,}878{,}000 \underset{전}{} \times 3/25 + (58{,}191{,}000 - 4{,}023{,}000$

$- 7{,}878{,}000 - 900{,}000) \times 3/15$ ≒ 10,427,000원

(2) 주체항목 : $202{,}522{,}000 \times 3/50$ ≒12,151,000원

3) 합계 : 1) + 2)　　　　　　　　　　　　　　　　　　　　　　≒ 22,578,000원

2. 기능적 감가

1) 전기시설

⑴ 타당성검토

$$187,000 \times \underbrace{\frac{1 - 1.1^{-12}}{0.1}}_{pvaf} - (1,250,000 - 100,000) > 0(치유가능)$$

※ 17년으로 편익의 타당성평가 및 건물환원율로 영구환원도 가능함.

⑵ 감가액

$$\underbrace{800,000 \times 12/15}_{기발} + \underbrace{(1,250,000 - 100,000)}_{치} - \underbrace{790,000}_{신}　　≒ 1,000,000원$$

2) 층고(물리적 회복불가능으로 판단함)

$2,000 \times 960 \times 47/50 + 500,000 \times (1.1^{47} - 1)/(0.1 \times 1.1^{47})$　　≒ 6,748,000원

※ 500,000원을 0.125로 영구환원하는 방법도 가능함.

3) 냉방시설

⑴ 타당성검토 : $1,000,000 \times 7 - 6,000,000 > 0(치유가능)$

⑵ 감가액 : $6,000,000 - 4,000,000$　　　　　　　　　　　　　　≒ 2,000,000원

4) 합계 : 1) + 2) + 3)　　　　　　　　　　　　　　　　　　≒ 9,748,000원

3. 경제적 감가

$121,000 \times (1 - 0.45) \div 0.086^{1)} \times 0.4$　　　　　　　　　　≒ 310,000원
　　순수익　　　　　　　　　　　건물비율

1) 종합환원율 : 0.6 × 0.06 + 0.4 × 0.125 ≒ 0.086

4. 감가총액

1. + 2. + 3.　　　　　　　　　　　　　　　　　　　　　　　≒ 32,636,000원

5. 적산가액

260,713,000 - 34,944,000　　　　　　　　　　　　　　　　　≒ 228,077,000원

연습문제 **8** 감가율 (시장추출법) (10점)

Ⅰ. 사례 건축물 가격

$$(540,000,000 - 700,000 \times 360) \times \frac{1}{300} \qquad \fallingdotseq 960,000원/m^2$$

Ⅱ. 사례(및 대상)의 연간감가액

1. 건물재조달원가 : $420,000,000 \times \dfrac{1}{300}$ $\qquad \fallingdotseq 1,400,000원/m^2$

2. 연간감가액 : $(1,400,000 - 960,000) \div 10(년)$ $\qquad \fallingdotseq 44,000원/m^2$

Ⅲ. 연간감가율

44,000 ÷ 1,400,000 $\qquad \fallingdotseq 3.14\%$

수익방식 연습

연습문제 1 순수익의 산정 (10점)

Ⅰ. 총수익 (PGI)

$20,000,000 × 12 + 80,000,000 × 0.12 + 40,000,000 × MC(12\% 3)$ $≒ 266,254,000$

Ⅱ. 경비 (OE)

1. 제외사항

부동산 유지관리에 직접 소요되는 비용이 아닌 것 제외(저당지불액, 동산세금, 소득·법인세, 감가상각, 인출금계정, 개인적 업무비, 소유자 급여*, 부가물 설치비, 개인잡비, 자기자금 이자) (* 다만, 소유자 급여의 경우 직접관리하는 경우 적정급여를 관리비에 포함)

2. 경비

$$[\ 15{,}000{,}000 + \cdots + 3{,}500{,}000\ × MC(12\%\ 3) + 3{,}000{,}000\ /\ 10 + 1{,}500{,}000/3$$

토지세   보험료   지붕수선   페인트

$$+\ 900{,}000\ +\ 1{,}400{,}000\ +\ 266{,}254{,}000\ ×\ (0.08+0.05)\ ]×1 ≒ 90{,}170{,}000$$

청소   정상운전자금이자   관   공

Ⅲ. 순수익 (NOI)

Ⅰ. - Ⅱ.   ≒ 176,084,000

> **Tip** 현금흐름 추계 과정
>
> 가능총수익(PGI) + 기타소득(OI)
> – 공실손실충당금 및 불량부채(V&LA)
> ─────────────────
> 유효총수익(EGI)
> – 영업경비(OE)
> ─────────────────
> 순영업소득(NOI)
> – 부채서비스액(DS)
> ─────────────────
> 세전현금수지(BTCF)
> – 영업소득세(TAX)
> ─────────────────
> 세후현금수지(ATCF)
>
> ※ 주의 사항
> ① 현재 점유율이 100%라도, 시장지역 내 정상적인 공실률은 반드시 계상
> ② OE에 첨가할 항목 : 수선비, 대체준비금, 공실 및 불량부채충당금, 관리비, 유지비
> ③ OE에 삭제할 항목 : 개인적 업무비(부동산운영과 관련된 세미나참석비는 포함), 부가물·증치물, 소득세, 소유자급여 또는 인출금계정, 저당지불액, 감가상각비

[PGI의 산정]
  ① 보증금(전세금)운용수익 : 보증금 × 운용이율
  ② 연간(지불)임대료 : 월(지불)임대료 × 12
  ③ 연간 관리비 수입
    ※ 공익비 및 부가사용료(관리비 등) 중 실비초과액 은 순수익으로 계상
  ④ 주차수입, 광고수입, 그 밖에 대상물건의 운용데 따른 주된 수입
  ⑤ 기타 : 갱신료(갱신료 × SFF)
    권리금 상각액 및 미상각액의 운용이익(권리금 × MC)

[영업경비의 산정]
1) 감가상각비
  ① 포함하는 경우는 상각 후, 포함하지 않는 경우는 상각전 순수익
  ② 미국식의 경우 NOI는 항상 상각전 순수익
  ③ 임대시점 건물의 적산가격 × 1/잔존내용년수 OR 재조달원가 ÷ 전체내용년수
2) 유지관리비
  수익적 지출만 해당하며, 자본적 지출은 제외
3) 공조공과
  ① 포함될 세금 : 재산세, 도시계획세, 공공시설세 등 부동산 보유에 관련된 세금
  ② 제외될 세금 : 소득세, 법인세, 대상 귀속분이 미제시된 종합토지세, 취·등록세 등
4) 손해보험료
  ① 전액 기초 일시지급 : 보험료 × MC
  ② 전액 기초 일시지급, 계약만료시 일정액 환급 : 일시불 × MC - 환급액 × SFF
  ③ 매기 지급, 계약만료시 일정액 환급 : 매기지급액 - 매기지급액 × FVAF(약관이자율) × SFF(시장이자율)
5) 대손준비금 및 공실손실상당액
6) 정상운전자금이자상당액
  장기차입금이자, 자기자본이자상당액은 제외

연습문제 2 환원율의 산정 (15점)

I. 사례#1 (물리적 투자 결합법)

$$0.7 \times 0.09 + 0.3 \times (0.11 + \frac{1}{45})$$ ≒ 0.1027

II. 사례#2 (부채감당법)

$$\frac{87,000}{58,000} \times 0.65 \times \text{MC}(10\%/12, \ 300) \times 12$$ ≒ 0.1063

III. 사례#3 (조소득승수법)

$$\frac{(1 - 0.15)}{850,000 \div (118,000 - 6,000)}$$ ≒ 0.1120

IV. 사례#4 (Ellwood법)

$$0.4 \times 0.13 + 0.4 \times \text{MC}(9\% \ 20) + 0.2 \times \text{MC}(12\% \ 15) - \left[0.4 \times \frac{1.09^{10} - 1}{1.09^{20} - 1} + 0.2 \times \frac{1.12^{10} - 1}{1.12^{15} - 1} \right]$$

$$\times \text{SFF}(13\% \ 10) - 0.2 \times \text{SFF}(13\% \ 10)$$ ≒ 0.1028

V. 사례#5 (금융적 투자결합법 Kazdin)

$$0.2 \times 0.12 + 0.8 \times \text{MC}(10\%/12, \ 360) \times 12$$ ≒ 0.1083

> **Tip** 환원율의 산정 (부동산의 구성요소)
>
> 1. 물리적 투자결합법
> $R_0 = w_L R_L + w_B R_B$
>   ※ $w_L \cdot w_B$: 토지·건물 가격구성비 $R_L \cdot R_B$: 토지·건물환원율
>
> 2. 금융적 투자결합법
>   ① Ross방식 : $R_0 = E/V \cdot R_E + L/V \cdot r$
>   (단, R_E는 지분배당률)
>   ② Kazdin방식 : $R_0 = E/V \cdot R_E + L/V \cdot MC$
>
> 3. Ellwood법
> $R_0 = y - (L/V)c \pm \triangle SFF_{y\%,t}$
>   ※ $c = y + P \cdot SFF_{y\%,t} - MC\sim\sim$
>
> 4. 부채감당법(Gettel법)
> $R_o = DCR \times (L/V) \times MC$(단, $DCR = \frac{NOI}{DS}$)

연습문제 **3** 상각전 환원율과 상각후 환원율 ^(10점)

Ⅰ. 사례 상각 후 환원율

① 사례#1 : $\dfrac{230}{2,100} - \dfrac{1}{3} \times \dfrac{1}{45}$ ≒ 0.1021

② 사례#2 : $\dfrac{219}{2,000} - \dfrac{1}{4} \times \dfrac{1}{45}$ ≒ 0.1039

③ 사례#3 : $\dfrac{169}{1,500} - \dfrac{1}{3} \times \dfrac{1}{45}$ ≒ 0.1053

Ⅱ. 대상 및 사례평점

① 사례#1 : $0.2 \times 100 + \cdots + 0.25 \times 100$ ≒ 92

② 사례#2 : $0.2 \times 95 + \cdots + 0.25 \times 100$ ≒ 90

③ 사례#3 : $0.2 \times 80 + \cdots + 0.25 \times 90$ ≒ 93.5

④ 대상 : $0.2 \times 90 + \cdots + 0.25 \times 90$ ≒ 93

Ⅲ. 대상 상각 후 환원율

$(0.1021 \times \dfrac{92}{93} + 0.1039 \times \dfrac{90}{93} + 0.1053 \times \dfrac{93.5}{93}) \div 3$ ≒ 0.1025

※ 평점비교시 가치와 환원율은 반비례인바 역수비교, 평균하여 결정

Ⅳ. 대상 상각 전 환원율

$0.1025 + 0.3 \times \dfrac{1}{45}$ ≒ 0.1092

Tip 환원율의 산정 (시장추출법)

1. 직접시장비교법
   (사례부동산의 상각 전 환원이율 – 사례부동산의 상각률)
   ≒사례부동산의 상각 후 환원이율
2. 투자시장질적비교법
   사례부동산의 상각 후 환원이율 × 사례평점/대상평점 + 대상부동산의 상각률
   ≒대상의 상각 전 환원이율
3. 조소득승수법(GIM법)
   $R_0 = \dfrac{1 - OER}{GIM} \left(OER = \dfrac{OE}{GI}, GIM = \dfrac{P}{GI} \right)$

연습문제 **4**   환원율 (조성법) (10점)

I. 위험률

1. 기대수익률(평균)

① 부동산 #1 : $0.75 \times 0.14 + 0.15 \times 0.12 + 0.1 \times 0.16$ ≒ 0.139

② 부동산 #2 : $0.6 \times 0.16 + 0.3 \times 0.14 + 0.1 \times 0.18$ ≒ 0.156

2. 위험률(표준편차)

① 부동산 #1 : $\sqrt{0.75 \times (0.14 - 0.139)^2 + \cdots + 0.1 \times (0.16 - 0.139)^2}$ ≒ 0.010

② 부동산 #2 : $\sqrt{0.6 \times (0.16 - 0.156)^2 + \cdots + 0.1 \times (0.18 - 0.156)^2}$ ≒ 0.012

3. 위험률(평균) : $(0.010 + 0.012) \div 2$ ≒ 0.011

II. 환원율

$$0.09 + 0.011 + 0.02 + 0.015 - 0.03$$
  무   위   비   관   자   ≒ 0.1060

> **Tip** 환원율(조성법, 요소구성법, 합산법)
>
> ① 환원율≒무위험률＋위험할증률
> ② 무위험률 : 채무불이행 위험이 없는 국·공채이자율 같은 안전율
> ③ 위험할증률 : 위험성(＋), 비유동성(＋), 관리의 난이성(＋), 자금의 안전성(－)

연습문제 **5**   토지잔여법 ^(15점)

Ⅰ. 감정평가 개요

1. 감정평가 방법

감칙§12① 단서에 따라 공시지가기준법을 적용하는 것이 곤란하거나 부적절 하여 수익환원법을 적용함.

2. 기준시점 및 기준가치 : 2025. 8. 25.(감칙§9②), 시장가치(감칙§5①)를 기준함.

Ⅱ. 사례 토지 귀속 NOI

1. PGI

$100,000,000 + 85,000,000 \times 12 + 15,000,000 \times 12$ ≒ 1,300,000,000

2. 영업경비

$218,459,520 + 50,000,000 + 80,000,000 + 20,000,000 + 20,000,000$ ≒ 388,460,000

주) 장기차입금이자와 소득세는 대상 건물의 임대 운영과 직접 관련 없어 제외한다.

3. 상각 후 NOI : 1. - 2.   ≒ 911,540,000

4. 사례 건물가액 (2025.8.25 기준)

$$720,000 \times \underset{\text{사}}{1} \times \underset{\text{시}}{1} \times \underset{\text{잔}}{\left(0.75 \times \frac{45}{50} + 0.25 \times \frac{10}{15}\right)} \times \underset{\text{개}}{\frac{97}{100}} \times \underset{\text{면}}{9,200} ≒ 5,407,944,000$$

5. 사례 건물 귀속 NOI

$5,407,944,000 \times 0.12$ ≒ 648,953,000

6. 사례 토지 귀속 NOI : 911,540,000 - 648,953,000   ≒ 262,587,000

Ⅲ. 대상 토지 귀속(기대) NOI

$$262,587,000 \times \underset{\text{사}}{1} \times \underset{\text{시}}{1} \times \underset{\text{지}}{\frac{100}{85}} \times \underset{\text{개}^{1)}}{1.716} \times \underset{\text{면}}{\frac{1}{2,100}} \qquad ≒ 252,437원/m^2$$

1) $1.20 \times 1.10 \times 1.30$

Ⅳ. 대상토지 수익가액 (감정평가액)

$$252,437 \div 0.1 \qquad\qquad ≒ 2,520,000원/m^2$$

$$\langle \times 2,000 ≒ 5,040,000,000원 \rangle$$

연습문제 6   건물잔여법 (10점)

I. 감정평가 개요

1. 감정평가 방법

건물은 감칙§12① 및 §15에 따라 원가법을 주된 방법으로 적용하나, 감칙§12① 단서에 따라 주된 방법을 적용하는 것이 곤란하거나 부적절한 경우에 해당하여 수익환원법을 주된 방법으로 적용하고,

감칙§12② 단서에 따라 대상물건의 특성 등으로 인하여 다른 방법을 적용하는 것이 곤란하거나 불필요한 경우 해당하여 주된 방법만 적용함.

2. 기준시점 및 기준가치

2025. 8. 1.(감칙§9②), 시장가치(감칙§5①)를 기준함.

II. 건물 감정평가액

1. 대상 NOI

$20,000 \times 600\text{m}^2 \times 12(월) \times (1 - 0.3)$ ≒ 100,800,000원

2. 토지가액

1) 거래사례의 정상화

$(200,000,000 - 50,000,000) \times 100/90$ ≒ 166,667,000원

2) 토지가액

$166,667,000 \times \underset{\text{사}}{1} \times \underset{\text{시}}{1} \times \underset{\text{지}}{1} \times \underset{\text{개}}{100/95} \times \underset{\text{면}}{300/150}$ ≒ 350,878,000원

3. 대상 건물 귀속 NOI

$100,800,000 - 350,878,000 \times 0.1051$ ≒ 63,923,000원

4. 수익가액 (감정평가액)

$63,923,000 \div 0.1791$ ≒ 356,912,000원

연습문제 7 DCF법 (20점)

I. 감정평가 개요

1. 감정평가 방법

복합부동산은 감칙§7①에 따라 개별물건기준으로 감정평가하는 것이 원칙이나, 일체로 거래되는 관행 및 용도상 불가분관계 등에 감칙§7②에 따라 일괄 감정평가함.

토지건물 일괄 감정평가는 감칙§12① 및 §16에 따라 거래사례비교법을 주된 방법으로 적용하나, 감칙§12① 단서에 따라 수익환원법을 주된 방법으로 적용함.

2. 기준시점 및 기준가치

2025. 9. 1.(감칙§9②), 시장가치(감칙§5①)를 기준함.

3. 그 밖의 사항

① 본건이 최유효이용 상태임에 따라 본건 임대수익 자료를 기준함.

② 부채서비스액 및 세금자료가 명확하지 않은 점 및 자본수익률이 제시되어 할인현금수지 분석법 중 순수익 모형 적용함.

II. 1기 NOI

1. 4층 기준 NOI

1) EGI : 165,000 × 574 × (1 - 0.03)   ≒ 91,868,700

2) OE : (3,000,000 - 2,500,000) + 1,500,000 + (1,300,000 + 1,000,000) × 12

                    ≒ 29,600,000

> 주) 부가물 설치비는 자본적 지출, 수도료 · 전기료 · 연료비는 부가사용료 및 공익비 실비, 소유자 급여는 건물관리자 급여를 별도 지급, 비소멸성 보험료, 소득세 · 저당이자는 본 건물 임대운영과 직접 관련 없어 제외함.

3) NOI   ≒ 62,268,700

2. 전체 NOI

$$62,268,700 \times \frac{100 + 60 + 42 + 38 + 36}{38}$$ ≒ 452,267,000

III. 현금흐름표

(단위 : 천원)

기간	1	2	3	4	5	6
NOI	452,267	474,880[1]	498,624	523,556	549,733	560,728[2]

1) 452,267×1.05
2) 549,733×1.02

VI. 기말복귀가치

560,728,000 ÷ 0.12   ≒ 4,672,733,000원

V. 감정평가액

$$\sum_{n=1}^{5} \frac{NOI_n}{(1+\text{할인율})^5} + \frac{\text{기말복귀가치}}{(1+\text{할인율})^5}$$ ≒ 5,160,875,000원

〈정률증감모델 적용하는 경우〉

III′. 기말복귀가치

$(452,267,000 \times 1.05^5 \times 1.02) \div 0.12$ ≒ 4,672,733,000원

IV′. 감정평가액

$$452,267,000 \times (1 - \frac{\frac{1.05^5}{1.08^5}}{0.08-0.05}) + \text{기말복귀가치} \div 1.08^5$$ ≒ 5,160,875,000원

3방식 종합

종합문제 **1** 토지 3방식 (공부, 지역요인비교치, 시점수정) (30점)

🔍 문제분석

자료 분석	목차 및 논점 분석
〈자료 1〉 대상부동산 관련 공부	→ 대상물건 확정(공부확인, 최유효이용 판단) 　　철거할 건물이 있는 토지(나지에서 철거비 차감)
〈자료 2〉 지역분석 및 개별분석 〈자료 9〉 지역요인 및 개별요인 산정자료	→ 대상 최유효이용 판단 근거 활용 → 인근지역 및 유사지역 지역특성 판단 → 지역요인 비교치 판단(임대사례 활용) → 비교표준지 및 사례 선정 기준 활용 ↔ 시산가격 조정시 충분히 활용
〈자료 3〉 공시지가 자료 〈자료 4〉 수집된 거래사례 및 임대사례 자료 〈자료 5〉 거래사례〈사례3〉 거래조건 〈자료 6〉 임대사례 자료(임대면적 비율 : 80%) 〈자료 7〉 건물에 대한 자료	→ 공시지가기준법 → 거래사례비교법, 수익환원법(토지잔여법) → (거래사례 사정 보정) → (지역요인 비교치 적용 및 토지잔여법 사례 구분 → (최유효이용으로 사례선정 기준, 건물 비교활용)
〈자료 8〉 시점수정 자료 〈자료10〉 기타사항	→ 공통활용 (비교가능성 파악, 환원율의 활용(잔여환원법), 철거비 활용)

(물음 1)

I. 기본적 사항의 확정

1. 가격종류 : 감칙§5 근거. 시장가치

2. 기준시점 : 감칙§9 근거. 가격조사 완료일(2025. 9. 6)

3. 대상물건의 확정

　1) 물적 사항

　　⑴ 토지

　　　• 소재지 : A구 B동 100번지

　　　• 지목 : 垈

　　　• 토지면적 : (대장기준) 960m^2

- 용도지역 : 일반주거지역(토지이용계획확인서)
- 형상지세 등 : 장방형 평지 〈도로는〉 인도 포함 8M "소로한면" (세로(불)은 각지로 보지 아니한다)
- 최유효이용시 이용상황 : 근생(상업용)

⑵ 건물 : 블록조 200m²(철거 전제)

2) 권리관계
⑴ 토지(등기부 기준) : Lee씨 소유
⑵ 건물(등기부 기준) : Lee씨 소유

II. 사례 선정

1. 비교표준지 선정
1) 선정기준
감칙§14 근거 용도지역 동일. 인근지역 위치 실제 용도 이용상황 동일·유사, 공법상 제한유사, 주변환경 유사, 지리적 근접한 표준지

2) 비교표준지 선정
선정기준에 부합하는 〈#3〉 선정
(공시지가는 나지상정인바 건부감가는 고려하지 않는다)

3) 제외 사유
#1. 지역요인 비교 불가. #2 이용상황 상이. #4. 용도지역 상이

2. 거래사례 선정
1) 선정기준
위치, 물적 유사성, 시점수정, 사정보정 가능하며 합리적 배분법 적용 가능한 사례

2) 선정대상
위 기준에 부합하는 〈사례⑵〉

3) 제외 사유
① 사례⑴ 지역요인 비교 불능
② 사례⑶ 용도지역 상이

(물음 2)

I. 지역분석

1. 인근지역 및 유사지역 판정
1) 대상이 속한 A구 B동은 인근지역(평점 100)
2) 인근지역과 지역특성이 유사한 P구 C동은 유사지역으로 요인비교 가능

2. 지역요인 비교치
1) 각 동별 단위면적당 순임대료 : (사례의 건물요인에 영향이 없는 상각 전 순이익 기준)
   (1) A구 B동 : 〈사례4〉
      $[28,503,000 \times 12 + 270,000,000 \times MC(12\%,2) - (33,000,000 + 5,000,000 + 3,000,000)] / (2,700 \times 0.8)$ ≒ @213,000원/m²

   (2) P구 C동 : 〈사례5〉
      $[33,220,000 \times 12 + 945,000,000 \times 0.12 - (29,000,000 + 5,000,000 + 3,000,000)] / (2,400 \times 0.8)$ ≒ @247,000원/m²

2) 지역요인 비교치
   $213,000 \times C / 100$ ≒ 247,000(∴ C ≒ 1 16)

II. 공시지가 기준법

$1,850,000 \times \underset{시^{1)}}{1.05273} \times \underset{지}{1.000} \times \underset{개^{2)}}{1.023} \times \underset{그}{1.00}$ ≒ @1,990,000원/m²

  1) 시점수정(2025. 1. 1~2025. 9. 6. A구 주거)
  2) 개별요인 : 90/80×100/110×95/100×100/95

III. 거래사례 비교법

$1,572,000,000 \times \underset{사}{1} \times \underset{시^{1)}}{1.11650} \times 1.000 \times 0.9 \times \frac{1}{750}$ ≒ @2,110,000원/m²

  1) 시점수정(2024. 4. 1~2025. 9. 6 A구 주거)

Ⅳ. 수익환원법

1. 사례선정
위치·물적 유사성 있으며 최유효이용〈사례6〉 선정

2. 사례 NOI(상각전)
관리비는 별도 징수사항으로 파악하여 수익과 비용으로 모두 인식

1) PGI
$$28,500,000 \times 12 + 400,000,000 \times 0.12 + 150,000,000 \times MC(12\% \ 2) + \underset{\text{관리비}}{120,000,00}$$

$$\fallingdotseq 598,755,000$$

2) OE
$$35,000,000 + \underset{\text{관리비}}{120,000,000} + 8,000,000 + 1,000,000 + 4,000,000 \fallingdotseq 168,000,000$$

3) NOI : 1) - 2)
$$\fallingdotseq 430,755,000$$

3. 사례토지 귀속 NOI
$$430,755,000 - \underset{\text{건물P}[1]}{2,262,665,000} \times \underset{\text{건물R}}{0.1} \qquad \fallingdotseq 204,489,000$$

[1] $860,000 \times 1 \times 1 \times \frac{98}{100} \times 2,850 \times (0.7 \times \frac{48}{50} + 0.3 \times \frac{18}{20})$

4. 대상 토지 기대 NOI
$$204,489,000 \times \underset{\text{사}}{1} \times \underset{\text{시}[1]}{1.00776} \times \frac{100}{116} \times \frac{90}{100} \times \frac{1}{950} \qquad \fallingdotseq @ 168,302원/m^2$$

[1] (2025. 8. 1~2025. 9. 6 : P구. 주거지역)

5. 수익가액
$$168,302 \div 0.08 \qquad \fallingdotseq @ 2,100,000원/m^2$$

(물음 3)

1. 시산가액 조정 및 결정

1) 시산가액 조정의 주안점

(1) 토지의 평가로서 감정평가법 제3조, 감칙 제12조제1항 및 제14조에 근거 공시지가기준법에 의한 시산가액 중심

(2) 인근지역의 거래가 활발한 시장상황을 고려 시장성을 반영한 거래가격에 의해 지지되며

(3) 본건은 상업용 부동산으로서 수익성에 의한 수익가액을 고려.

2) 나지상정 토지가액 결정

감칙 제12조에 따라 @1,990,000원/m² × 960≒⟨1,910,400,000원⟩으로 결정

2. 현황 토지가액 결정

$$1,910,400,000 - \underset{철거비}{210,000 \times 200} \qquad\qquad ≒ 1,868,400,000원$$

Tip 지역분석 등의 유의점

① 선정사유를 물음에서 따로 묻는 경우 선정기준, 선정, 제외사유를 목차로 잡아 구체적으로 기술할 필요가 있다.

② 지역요인 비교가능성, 개별요인 비교가능성 및 시점수정 가능성 등은 사례 선정뿐만 아니라 문제 분석의 순서를 결정하는 논점임에 유의해야 한다.

③ 관리비는 원칙적으로 실비초과액에 대해서 수익으로 계상해야 한다. 별도 언급이 없는 경우 보통 관리비를 영업경비에 포함시키나, 본 답안에서는 실비초과액은 없는 것(관리비를 별도 징수)으로 보고 풀이하였다.

④ 자가변동률 적용시 감칙 제14조 제2항 제2호에 근거 비교표준지가 속하는 시·군·구 용도지역별을 우선 적용하였다.

(* 종래 감칙 및 토지보상법시행규칙에서는 대상이 속한 지역을 적용하였으나, 비교표준지가 속한 지역으로 개정됨)

⑤ 철거비의 처리는 개량물의 최고최선 분석과 관련하여 입체적 이해가 요구된다.

종합문제 2 토지 (기본적사항의 확정, 지역분석) (15점)

I. 기본적 사항 확정

1. 대상물건의 확정
- 소재지 : S시 K동 1동 3-5
- 지목 : 택지(대)
- 면적 : 150m^2

2. 기준시점 : 2025. 8. 1(감칙§9②)

3. 기준가치 : 시장가치(감칙§5①)

II. 지역분석

1. 인근지역 : S역 북서측. 대상부동산 소재지역

2. 유사지역 : 인근지역과 지역특성이 유사한(A, B, C 지역)

3. 지역요인 비교치 (인근지역 100)

1) 인근지역 : (900,000 + 1,100,000) ÷ 2   ≒ 1,000,000
    #13   #14

2) A지역 : (960,000 + 1,000,000) ÷ 2   ≒ 980,000
    #1   #4

3) B지역 : 376,000,000 ÷ 400   ≒ 940,000
    #7

4) C지역 : #9   ≒ 1,050,000

5) 지역요인 평점

	인근	A	B	C
평점	100	98	94	105

종합문제 **3** 건물 3방식 (25점)

문제분석

자료 분석	목차 및 논점 분석
〈자료 1〉 평가대상물건 개요 -조사기간 2025년 8월 24일~2025년 9월 1일	→ 대상물건 확정(용도지역등 공법상제한, 건물) 기준시점 결정
〈자료 5〉 지역요인 비교자료	→ 지역비교 가능성(대상 건물만의 평가로 사례의 배분법 적용시 활용되는 토지사례 선정의 기준)
〈자료 2〉 거래사례 1. 거래사례 1 2. 거래사례 2 3. 거래사례 3	→ 거래사례비교법(배분법 적용 사례선정)
〈자료 3〉 최근 임대사례 〈자료 7〉 표준건축비 등	→ 건물잔여법(배분법 적용 사례선정, 배수활용) → 건물 원가법, 건물비교 격차율(사례선정 힌트)
〈자료 4〉 지가변동률 등 〈자료 6〉 개별요인비교자료 〈자료 8〉 시장이자율 등	→ 공통활용(비교가능성 파악 및 각종 요인비교치 적용)

I. 감정평가 개요

1. 감정평가 방법

건물은 감칙§12① 및 §15에 따라 원가법을 주된 방법으로 적용하되, 감칙§12②에 따라 거래사례비교법 및 수익환원법에 의한 시산가액으로 주된 방법에 의한 시산가액의 합리성을 검토함.

2. 기준시점 및 기준가치

가격조사 완료일 2025. 9. 1.(감칙§9②), 시장가치(감칙§5①)를 기준함.

II. 원가법

$$2,500,000 \times \frac{121}{400} \times 1 \times 1.00000 \times 1.000 \times \frac{48}{50} \times (287 \times 0.7 + 2,870)$$

사 시 개 잔 면

$$\fallingdotseq 2,229,473,000원$$

Ⅲ. 거래사례비교법

1. 사례선정

사례#1를 선정하여 같은 동(C동)으로 배분법 적용함.

2. 사례 토지가격 (2024. 10. 5)

거래사례의 인근지역에 소재하고 비교가능한 사례#2을 선정.

$$2,350,000,000 \times \underset{\text{사}}{1} \times \underset{\text{시}^{1)}}{1.03248} \times \underset{\text{지}}{1.000} \times \underset{\text{개}^{2)}}{0.970} \times \underset{\text{면}}{\frac{900}{780}} \fallingdotseq 2,715,621,000원$$

1) $\left(1 + 0.0171 \times \frac{153}{365}\right) \times \left(1 + 0.0330 \times \frac{278}{365}\right)$

2) 0.96×1.01

3. 사례 건물가격

$$4,800,000,000 \times \frac{100}{95} - 2,715,621,000 \fallingdotseq 2,337,010,000원$$

4. 시산가액

$$2,337,010,000 \times 1.04587^{1)} \times \frac{100}{97} \times \frac{48/50}{49/50} \times \frac{1}{3,465} \fallingdotseq @712,000원/m^2$$

$$\langle \times 3,157 \fallingdotseq 2,247,784,000원 \rangle$$

1) $\dfrac{2025.9건축비지수}{2024.10건축비지수} = \dfrac{114(2025.9미공시최근적용)}{109}$

Ⅳ. 수익환원법

1. 사례선정

같은 동(D동)을 통한 배분법 및 건물잔여법 적용함.

2. 사례 상각전 NOI

$$(3,000,000,000 \times 0.1 + 660,000,000 \times \underset{mc(10\%,3)}{0.402}) - [30,000,000$$

$$\times (\underset{mc(8\%,3)}{0.388} - 0.4 \times 1.04^3 \times \underset{sff(8\%,3)}{0.308}) + 20,000,000 + 2,500,000 \times 12 + 50,000,000]$$

$$\fallingdotseq 457,838,000$$

주) 실제 지출경비가 아닌 감가상각비 제외.

3. 사례 부동산가격

$457,838,000 \times 9.95^{1)}$ ≒ 4,555,488,000원

1) 순수익에 대한 배수

4. 사례 토지가액 (2025. 9. 1)

임대사례의 인근지역에 소재하고 비교가능한 사례#3 선정.

$$1,600,000,000 \ \times \underset{\text{사}}{1} \ \times \underset{\text{시}^{1)}}{1.01548} \ \times \underset{\text{지}}{1.000} \ \times \underset{\text{개}}{0.920} \ \times \underset{\text{면}}{\frac{920}{750}} ≒ 1,833,605,000원$$

1) $\left(1 + 0.0122 \times \frac{52}{91}\right) \times \left(1 + 0.0122 \times \frac{63}{91}\right)$

5. 사례 건물가액

$4,555,488,000 - 1,833,605,000$ ≒ 2,721,883,000

6. 시산가액

$$2,721,883,000 \ \times \underset{\text{사}}{1} \ \times \underset{\text{시}}{1.00000} \ \times \underset{\text{잔}}{1} \ \times \underset{\text{개}}{\frac{100}{105}} \ \times \underset{\text{면}}{\frac{3,157}{3,400}} ≒ 2,406,998,000원$$

V. 건물 감정평가액 결정

적산가액 : 2,229,473,000, 비준가액 : 2,247,784,000
수익가액 : 2,406,998,000

감칙§12① 및 §15 에 의거 건물은 원가법을 주된 방법으로 하되, 감칙§12②에 따라 다른 감정평가방법에 의한 시산가액을 산출하였음. 비준가액은 시장성을 반영하는 유용성이 있으나 건물만의 정상적 거래사례의 포착이 어렵고, 수익가액은 수익성 부동산으로서 대상의 성격에 부합하나, 적용 환원율 및 건물가액 배분과정에 주관개입 소지가 있음.

따라서, 감칙§12③에 따라 주된 방법에 따른 원가법을 기준하되, 다른 감정평가방법으로 산출한 시산가액을 참작하여 2,230,000,000원으로 결정함.

종합문제 **4** 복합부동산 (개별물건기준) 1 (20점)

🔍 문제분석

자료 분석	목차 및 논점 분석
〈자료 1〉 감정평가의뢰내용 〈자료 2〉 대상부동산에 대한 자료	→ 대상물건 확정(용도지역, 이용상황, 토지특성)
〈자료 3〉 인근의 공시지가 표준지 현황 〈자료 4〉 거래사례 〈자료 5〉 건설사례	→ 공시지가기준법(비교표준지 선정 등) → 거래사례비교법(사정보정, 배분법) → 건물 원가법(재조달원가, 내용년수 확인)
〈자료 6〉 지가변동률 및 건축비지수 〈자료 7〉 대상 및 사례건물개요 〈자료 8〉 토지에 대한 지역요인 평점 〈자료 9〉 토지특성에 따른 격차율 〈자료 10〉 기타사항	→ 공통활용(비교가능성 파악 및 각종 요인비교치 적용)

I. 감정평가 개요

1. 감정평가 방법

대상 토지 및 건물의 복합부동산은 감칙§7①의 개별물건기준에 따라 감정평가함.

토지는 감칙§12① 및 §14에 따라 공시지가기준법을 주된 방법으로 적용하되, 감칙§12②에 따라 거래사례비교법에 의한 시산가액으로 주된 방법에 의한 시산가액의 합리성을 검토함.

건물은 감칙§12① 및 §15에 따라 원가법을 주된 방법으로 적용하였으나, 감칙§12② 단서에 따라 대상물건의 특성 등으로 인하여 다른 방법을 적용하는 것이 곤란하거나 불필요한 경우 해당하여 주된 방법에 의한 시산가액만 적용함.

2. 기준시점 및 기준가치

2025. 8. 25.(감칙§9②), 시장가치(감칙§5①)를 기준함.

II. 물음 1

1. 비교표준지 선정원칙 (감정평가에 관한 규칙 제14조 제2항 제1호)

인근지역에 위치한 표준지로서
① 용도지역 같을 것
② 이용상황 동일 · 유사할 것
③ 주위환경 유사할 것
등의 기준에 가장 적합한 하나의 표준지 선정한다.

2. 비교표준지 선정 이유

용도지역(일반주거), 이용상황(상업용), 형상(가장형) 등이 유사한 표준지#2를 선정함.
(#1 : 용도지역 상이, #3 : 이용상황 상이하여 제외함)

III. 물음 2

1. 토지

1) 공시지가기준법

$$3,000,000 \times \underset{시^{1)}}{1.07566} \times \underset{지}{1.000} \times \underset{개}{1.000} \times \underset{그}{1.00} \qquad ≒ 3,230,000원/m^2$$

1) $1.0254 \times 1.0300 \times \left(1 + 0.0300 \times \dfrac{56}{91}\right)$

2) 거래사례비교법

(1) 개요

최근의 최유효이용상태 하의 거래사례임에 따라 배분법 적용한다.

(2) 건물적산가액 (2025. 4. 1)

$$720,000 \times \underset{사}{1} \times \underset{시^{1)}}{0.9615} \times \underset{잔}{\left(0.75 \times \dfrac{49}{51} + 0.25 \times \dfrac{14}{16}\right)} \times \underset{개}{1.000} \times \underset{면}{8,100}$$

$$≒ 5,267,309,000$$

1) $\dfrac{125}{130}$

(3) 산출단가 (비준가액)

$$(11,205,000,000 - 5,267,309,000) \times \underset{\text{사}}{1} \times \underset{\text{시}^{1)}}{1.04902} \times \underset{\text{지}}{\frac{100}{102}} \times \underset{\text{개}}{1.1} \times \underset{\text{면}}{\frac{1}{1,980}}$$

$$\fallingdotseq 3,390,000원/m^2$$

1) $1.0300 \times \left(1 + 0.0300 \times \frac{56}{91}\right)$

3) 토지가액

(1) 결정 : $3,200,000 \times 2,000$　　　　　　　　　　$\fallingdotseq 6,400,000,000원$

(2) 이유 : 공시지가기준 : $3,230,000원/m^2$, 비준가액 : $3,390,000원/m^2$

감정평가에 관한 규칙 제12조 제1항 및 제14조에 따른 토지의 주된 방법(공시지가기준법)에 의한 시산가액과 동 규칙 제12조 제2항에 따라 다른 감정평가방식(거래사례비교법)에 의한 시산가액이 유사하고 주된 방법에 의한 시산가액의 합리성이 인정되므로 주된 방식(공시지가기준법)에 의한 시산가액으로 토지 감정평가액을 결정하였음.

2. 건물

1) 재조달원가

총공사비에 사정이 개입되었다고 보이는 바, 직접법은 적용하지 아니하고 최근 표준적 건설사례(간접법)를 기준으로 산정함.

$$720,000 \times \underset{\text{사}}{1} \times \underset{\text{시}}{1.00000} \times \underset{\text{개}}{\frac{98}{100}} \times \underset{\text{면}}{11,200}　　　　\fallingdotseq 7,902,720,000$$

2) 감가수정 및 적산가액

$$7,902,720,000 \times \left(0.75 \times \frac{45}{50} + 0.25 \times \frac{10}{15}\right)　　　　\fallingdotseq 6,651,456,000$$

3. 대상부동산 감정평가액 결정

$$6,400,000,000 + 6,651,456,000　　　　\fallingdotseq 13,051,000,000원$$

종합문제 **5** 복합부동산 (개별물건기준) 2 ^(25점)

🔍 문제분석

자료 분석	목차 및 논점 분석
〈자료 1〉 대상부동산의 기본자료 – 총공사비는 2,000,000,000원이 투입	→ 대상물건 확정(용도지역등 공법상제한, 건물) 공사비 직접법 판단
〈자료 2〉 인근의 표준지공시지가 현황 〈자료 3〉 거래사례(㉮) 〈자료 4〉 임대사례(㉯) 〈자료 5〉 건설사례(㉰)	→ 공시지가기준법(비교표준지 선정 등) → 거래사례비교법(사정보정, 배분법) → 토지잔여법(환원율 자료 확인, 상각후 순수익) → 건물 원가법(재조달원가, 내용년수 확인)
〈자료 6〉 대상 및 사례건물 개요 〈자료 7〉 지역요인 비교 〈자료 8〉 개별요인 비교 〈자료 9〉 지가변동률, 임대료지수, 건축비지수 〈자료10〉 보증금운용이율 및 환원율	→ 공통활용(비교가능성 파악 및 각종 요인비교치 적용)

Ⅰ. 감정평가 개요

1. **감정평가 방법**

    대상 토지 및 건물의 복합부동산은 감칙§7①의 개별물건기준에 따라 감정평가함.

    토지는 감칙§12① 및 §14에 따라 공시지가기준법을 주된 방법으로 적용하되, 감칙§12②에 따라 거래사례비교법 및 수익환원법에 의한 시산가액으로 주된 방법에 의한 시산가액의 합리성을 검토함.

    건물은 감칙§12① 및 §15에 따라 원가법을 주된 방법으로 적용하였으나, 감칙§12② 단서에 따라 대상물건의 특성 등으로 인하여 다른 방법을 적용하는 것이 곤란하거나 불필요한 경우 해당하여 주된 방법에 의한 시산가액만 적용함.

2. **기준시점 및 기준가치**

    2025. 8. 31.(감칙§9②), 시장가치(감칙§5①)를 기준함.

II. 토지

1. 공시지가기준법

1) 비교표준지

⑴ 선정 : #1

⑵ 이유 : 용도지역, 이용상황 등이 유사함#2, #3은 용도지역 등이 상이하여 제외함

2) 시산가액

$$3,800,000 \times \underset{\text{시}^{1)}}{1.06325} \times \underset{\text{지}}{1.000} \times \underset{\text{개}}{0.900} \times \underset{\text{그}}{1.00} \fallingdotseq 3,640,000\text{원}/\text{m}^2$$

$$\langle \times 600 \fallingdotseq 2,184,000,000\text{원} \rangle$$

1) $1.0250 \times 1.0220 \times \left(1 + 0.0220 \times \dfrac{62}{91}\right)$

2. 거래사례비교법

1) 비교사례

해당 거래사례는 동일 용도지역 소재, 거래 목적이 대상부동산의 최유효이용과 유사하여 선정함.

2) 시산가액

⑴ 사례 거래가격

$$2,100,000,000 \times \frac{100}{105} + (50,000,000 - 20,000,000) \fallingdotseq 2,030,000,000$$

⑵ 시산가액

$$2,030,000,000 \times \underset{\text{사}}{1} \times \underset{\text{시}^{1)}}{1.22362} \times \underset{\text{지}}{\frac{100}{102}} \times \underset{\text{개}}{\frac{90}{100}} \times \underset{\text{면}}{\frac{1}{580}} \fallingdotseq 3,780,000\text{원}/\text{m}^2$$

$$\langle \times 600 \fallingdotseq 2,268,000,000\text{원} \rangle$$

1) 2024. 4. 1~2025. 8. 31 : $1.0326 \times 1.0791 \times 1.0328 \times 1.06325$

3. 수익환원법

1) 사례선정

해당 임대사례는 동일 용도지역 소재, 대상의 최유효이용과 유사하고, 토지잔여법 적용이 가능하여 사례로 선정함

2) 사례 상각 후 NOI (2025.1.1. 기준)

$$430,000,000 \times (1 - 0.2) \fallingdotseq 344,000,000$$

3) 사례 토지 귀속 NOI

(1) 사례 건물가액

$$\left(2,500,000 \times \frac{121}{400}\right) \times \underset{사}{1} \times \underset{시}{\frac{137}{141}} \times \underset{개}{1.000} \times \underset{잔}{\frac{48}{51}} \times \underset{면}{2700} \qquad \fallingdotseq 1,867,247,000$$

(2) 사례 토지 귀속 NOI : 344,000,000 - (1,867,247,000 × 0.1) ≒ 157,275,000

4) 대상 토지 기대 NOI

$$157,275,000 \times \underset{사}{1} \times \underset{시}{\frac{127}{120}} \times \underset{지}{\frac{100}{110}} \times \underset{개}{0.900} \times \underset{면}{\frac{1}{550}} \qquad \fallingdotseq 247,611원/m^2$$

5) 대상 토지 수익가액 : 247,611÷0.08 ≒ 3,100,000원/m²

⟨×600 ≒ 1,860,000,000원⟩

4. 토지가액 결정

공시지가기준법 : 2,184,000,000원,   거래사례비교법 : 2,268,000,000원
수익환원법 : 1,860,000,000원

감정평가에 관한 규칙 제12조 제1항 및 제14조에 따른 토지의 주된 방법(공시지가기준법)에 의한 시산가액과 동 규칙 제12조 제2항에 따라 다른 감정평가방식(거래사례비교법, 수익환원법)에 의한 시산가액을 고려하되, 대상부동산이 수익성부동산이나, 수익환원법에 의한 시산가액이 낮은 점 등을 고려하여 동 규칙 제12조 제3항에 따라 주된 방법 및 다른 방법으로 산출한 시산가액을 조정하여 3,600,000 × 600 ≒ 2,160,000,000원으로 감정평가액을 결정함.

III. 건 물

1. 개요

본 건물의 직접공사비는 사정개입이 있었는바 최근의 표준적인 건설사례를 이용하여 간접법에 의함.

2. 재조달원가

$$2,500,000 \times \underset{사}{1} \times \underset{시}{1.00000} \times \underset{개}{\frac{98}{100}} \times \left(3,200 \times \underset{면}{\frac{121}{400}}\right) \qquad \fallingdotseq 2,371,600,000$$

3. 적산가액

$$2,371,600,000 \times \left(1 - \frac{5}{50}\right) \qquad\qquad ≒ 2,134,440,000$$

주) 경제적 내용년수에 의함

Ⅳ. 부동산 감정평가액

$$\underset{\text{토지}}{2,160,000,000} + \underset{\text{건물}}{2,134,440,000} \qquad\qquad ≒ 4,294,440,000$$

종합문제 6 복합부동산 (개별물건기준) 3 (25점)

문제분석

자료 분석	목차 및 논점 분석
〈자료 1〉 평가대상물건 개요 -조사기간 : 2025년 8월 24일~2025년 9월 1일	→ 대상물건 확정(용도지역등 공법상제한, 건물)기준시점 결정
〈자료 6〉 지역요인 비교자료	→ 지역비교 가능성(표준지 및 토지사례의 선정 가능성)
〈자료 5〉 지가변동률 등 〈자료 7〉 개별요인비교자료	→ 공통활용(비교가능성 파악 및 각종 요인비교치 적용)
〈자료 2〉 공시지가 표준지 내역(2025.1.1) 〈자료 3〉 거래사례 1. 거래사례 1 　　　　　　 2. 거래사례 2 〈자료 4〉 조성사례 〈자료 8〉 표준건축비 등	→ 공시지가기준법(비교표준지 선정 등) → 거래사례비교법(사정보정, 배분법) → 조성원가법(소지매입, 조성원가, 적용율) → 건물 원가법, 각종 적용율

I. 감정평가 개요

1. 토지는 공시지가기준법, 거래사례비교법, 원가법을 통한 시산가액을 조정하여 결정하고 건물은 원가법을 통한 시산가액으로 결정함

2. 기준시점은 가격조사완료일인(감칙§9②) 〈2025.9.1.〉 기준함.

3. 기준가치는 시장가치 기준임(감칙§5①)

II. 토지

1. 공시지가기준법

1) 비교표준지 선정 : #5

용도지역(일·상), 이용상황(상업용) 등이 유사하여 선정함.

단, #1은 규모 #2는 공법상제한사항, #3, 4는 용도지역 등에서 상이하여 제외함.

2) 시산가액

$$2,500,000 \times 1.03463 \times 1.000 \times 1.123 \times 1.00 \qquad ≒ 2,900,000원/m^2$$

시$^{1)}$　　　　지　　　개$^{2)}$　　　그

〈×820 ≒ 2,378,000,000원〉

1) $1.01\overset{.}{3}6 \times 1.0122 \times \left(1 + 0.0122 \times \dfrac{63}{91}\right)$　2) 1.04×1.08

2. 거래사례비교법

1) 비교사례선정 : #1

거래목적이 지상 창고를 철거한 것으로 보아 대상의 최유효이용과 유사하다고 판단되어 선정함.

단 #2는 지역요인 등 비교불가로 제외함.

2) 현금등가

$$1,830,000,000 + 400,000,000 \times 0.161 \times 5.747 ≒ 2,200,000,000원$$

MC$_{(6\%,8년)}$　　　PVAF$_{(8\%,8년)}$

3) 시산가액 (비준가액)

$$2,200,000,000 \times 1 \times 1.01250 \times 1.000 \times 1.080 \times \frac{1}{750} ≒ 3,210,000원/m^2$$

사　　　　시$^{1)}$　　　　지　　　　개　　　면

〈×820 ≒ 2,632,200,000원〉

1) $\left(1 + 0.0122 \times \dfrac{30}{91}\right) \times \left(1 + 0.0122 \times \dfrac{63}{91}\right)$

주) 매도인부담 철거비 고려 않음.

3. 원가법

1) 조성 완공 시점 (2025.1.1) 기준

(1) 소지 매입가액

$$[2,000,000 \times 700 + (50,000 \times 240 - 5,000,000)] \times 1.08 ≒ 1,519,560,000원$$

주) 매입 당시 예상 철거비 등을 전제함.

(2) 조성공사비

$$450,000,000 \times \frac{1}{4} \times (1.02^4 + 1.02^3 + 1.02^2 + 1.020) \qquad ≒ 472,838,000원$$

(3) 일반관리비 및 적정이윤

$$450,000,000 \times (0.1 + 1.1 \times 0.08) \qquad ≒ 84,600,000원$$

(4) 합계　　　　　　　　　　　　　　　　　　　　　　　≒ 2,076,998,000원

2) 시산가액 (적산가액)

$$2,076,998,000 \times \underset{\text{사}}{1} \times \underset{\text{시}}{1.03463} \times \underset{\text{지}}{1.000} \times \underset{\text{개}}{1.060} \times \underset{\text{면}}{\frac{1}{700}} ≒ 3,250,000원/m^2$$

〈 ×820 ≒ 2,665,000,000원〉

4. 토지 시산가액 조정 및 감정평가액 결정

감칙§12① 및 §14에 의거 토지는 공시지가기준법을 주된 방법으로 하되, 감칙§12②에 따라 다른 감정평가방법에 의한 시산가액으로 합리성을 검토함. 비준가액은 시장성을 반영하는 유용성이 있으나 금융보정 과정 상 오류가능성이 있을 수 있으며, 적산가액은 시장가치가 원가법에 의한 가격을 지지할 지 의문이 제기될 수 있는 한계가 있음. 따라서, 감칙§12③에 따라 주된 방법에 따른 공시지가의 규준력을 기준하되, 다른 감정평가방법으로 산출한 시산가액을 참작하여 3,000,000×820 ≒ 2,460,000,000원으로 결정함.

III. 건물 (원가법)

$$2,500,000 \times \frac{121}{400} \times \underset{\text{사}}{1.00} \times \underset{\text{시}}{1.00000} \times \underset{\text{개}}{1.000} \times \underset{\text{잔}}{\frac{48}{50}} \times \underset{\text{면}}{(287 \times 0.7 + 2,870)}$$

≒ 2,229,473,000원

IV. 대상부동산 감정평가액 결정

2,460,000,000 + 2,229,473,000   ≒ 4,689,473,000원

종합문제 **7**　복합부동산 (개별물건기준) 4 ^(25점)

🔎 문제분석

자료 분석	목차 및 논점 분석
〈자료 1〉 기본적 사항 〈자료 2〉 대상부동산의 현황 　　　(1) 물리적 감가	→ 대상물건 확정건물 분해법 적용
〈자료 3〉 거래사례 〈자료 4〉 공시지가 자료(2025년 1월 1일) 〈자료 5〉 임대사례 〈자료 6〉 건물관련 자료	→ 거래사례비교법(철거비) → 공시지가기준법 → 토지잔여법(순수익 산정, 사례 건물귀속순수익) → 건물 원가법, 대상부동산 현황의 물리적 감가적용
〈자료 7〉 시점수정 및 요인비교 〈자료 8〉 기타 참고사항	→ 공통활용(비교가능성 파악, 환원율의 활용(잔여환원법))

I. 감정평가 개요

1. 감정평가 방법

대상 토지 및 건물의 복합부동산은 감칙§7①의 개별물건기준에 따라 감정평가함.

토지는 감칙§12① 및 §14에 따라 공시지가기준법을 주된 방법으로 적용하되, 감칙§12②에 따라 거래사례비교법 및 수익환원법에 의한 시산가액으로 주된 방법에 의한 시산가액의 합리성을 검토함.

건물은 감칙§12① 및 §15에 따라 원가법을 주된 방법으로 적용하였으나, 감칙§12② 단서에 따라 대상물건의 특성 등으로 인하여 다른 방법을 적용하는 것이 곤란하거나 불필요한 경우 해당하여 주된 방법에 의한 시산가액만 적용함.

2. 기준시점 및 기준가치

2025. 8. 31.(감칙§9②), 시장가치(감칙§5①)를 기준함.

II. 토지

1. 공시지가기준법 (용도지역 및 이용상황 등을 고려하여 기호1을 선정함)

$$1,020,000 \underset{\text{시}^{1)}}{\times} 1.07804 \underset{\text{지}}{\times} 1.000 \underset{\text{개}}{\times} 1.000 \underset{\text{그}}{\times} 1.00 \fallingdotseq 1,100,000원/m^2$$

1) (2025. 1. 1~2025. 8. 31 : 상업지역) : $1.0675 \times \left(1 + 0.0675 \times \dfrac{31}{212}\right) \fallingdotseq 1.07804$

2. 거래사례비교법

$$(517,000,000/1.1 + \underset{\text{예상철거비}}{12,000,000}) \times \underset{\text{시}^{1)}}{1.13489} \times \underset{\text{지}}{1} \times \underset{\text{개}}{\frac{97}{105}} \times \underset{\text{면}}{\frac{1}{470}} \fallingdotseq 1,080,000원/m^2$$

1) (2024. 6. 20~2025. 8. 31 : 상업지역) : $\left(1 + 0.0987 \times \dfrac{195}{365}\right) \times 1.07804 \fallingdotseq 1.13489$

3. 수익환원법

1) 사례 PGI (2024. 8. 31)

$$\underset{\text{보}}{160,000,000 \times 0.12} + \underset{\text{지}}{23,500,000 \times 12 \times 1.02} + \underset{\text{권}}{80,000,000} \times \underset{\text{mc(12\%, 5)}}{\frac{0.12}{1 - 1.12^{-5}}}$$

$$\fallingdotseq 329,033,000원$$

2) 사례 OE

$$\underset{\text{손}}{5,500,000} \times \left(1 - \frac{1.05^5 - 1}{0.05} \times \frac{0.12}{1.12^5 - 1}\right) + \underset{\text{기}}{147,500,000} \fallingdotseq 148,216,000원$$

3) 사례 NOI : 1) - 2)   ≒ 180,817,000원

4) 사례 건물 귀속 NOI

$$636,000,000 \times \underset{\text{시}^{1)}}{1.00000} \times \underset{\text{개}}{\frac{97}{100}} \times \underset{\text{잔}}{(0.8 \times \frac{52}{55} + 0.2 \times \frac{17}{20})} \times \underset{\text{면}}{\frac{2,700}{2,550}} \times \underset{\text{건물R}}{0.18}$$

$$\fallingdotseq 108,920,000$$

1) 2024.8.1.~2024.8.31 : 건축비지수 : $\dfrac{114}{114} \fallingdotseq 1.00000$

5) 사례 토지 귀속 NOI : 3) - 4)   ≒ 71,897,000원

6) 대상 토지 귀속 NOI

$$71,897,000 \ \times \ \underset{\text{사}}{1} \ \times \underset{\text{시}^{1)}}{1.11389} \times \underset{\text{지}}{\frac{100}{99}} \times \underset{\text{개}}{\frac{97}{100}} \times \underset{\text{면}}{\frac{520}{520}} \qquad \fallingdotseq 78,467,000$$

1) (2024.8.31.~2025.8.31. : 상업지역) : $\left(1 + 0.0987 \times \frac{123}{365}\right) \times 1.0675 \times \left(1 + 0.0675 \times \frac{31}{212}\right)$

7) 대상 토지 수익가액

6) ÷ 0.12   ≒ 653,892,000원

(@1,260,000원/m²)

4. 토지 시산가액 조정 및 감정평가액 결정

「감정평가에 관한 규칙」 제12조제2항에 의하여 토지의 감정평가는 「감정평가에 관한 규칙」 제14조에 따라 산정한 공시지가기준법에 의한 시산가액이 「감정평가에 관한 규칙」 제11조에 따라 산정한 거래사례비교법에 의한 시산가액과 유사성이 있고 수익환원법에 의한 시산가액에 의해 합리성이 인정되는바, 토지의 주된 방법에 의한 시산가액으로 토지 감정평가액을 결정함.

1,100,000×520   ≒ 572,000,000원

Ⅲ. 건물

1. 재조달원가

$$636,000,000 \ \times 1.14912 \ \times \ \underset{\text{시}^{1)}}{\frac{95}{100}} \times \underset{\text{면}}{\frac{2,460}{2,550}} \qquad \fallingdotseq 669,794,000$$

1) 2024.8.1.~2025.8.31 : 건축비지수 : $\frac{131}{114} \fallingdotseq 1.14912$

2. 감가상각액

1) 치유가능   ≒ 2,100,000원

2) 치유불가능

$$669,794,000 \ \times 0.2 \ \times \ \underset{\text{부대항목}}{\frac{5}{17}} \ + \underset{\text{주체항목}}{(669,794,000 \times 0.8 - 1,000,000 \times 1.95522)^{1)}} \ \times \ \frac{5}{47}$$

≒ 96,195,000

1) 2020.7.10.~2025.8.31.건축비지수 : $\frac{131}{67} \fallingdotseq 1.95522$

3) 합계   ≒ 98,295,000원

   3. 건물가액 : 1. - 2.   ≒ 571,499,000원

Ⅳ. 부동산 감정평가액의 결정

   토지 + 건물   ≒ 1,143,499,000원

종합문제 8   오피스 3방식 (25점)

I. 감정평가개요

1. 감정평가목적 : 일반거래 시가참조

2. 기준가치 : 시장가치

3. 대상물건 확정 : 토지·건물 복합부동산(오피스빌딩)

4. 기준시점 : 2025.8.7.

II. (물음 1) 개별물건기준 시산가액

1. 토지

1) 공시지가기준법

(1) 비교표준지 선정

① 비교표준지 선정 : 일반상업, 업무용, 일반업무지대 〈공#2〉선정

② 제외 사유 : #1 : 용도지역 상이, #3 : 주위환경 상이하여 제외

(2) 시점수정치 : 상업지역 지가변동률(2025.1.1.~8.7)

$1.02645 \times (1 + 0.00420 \times 38/30)$ $= 1.03191$

(3) 지역요인비교치 : 인근지역 소재 $= 1.000$

(4) 개별요인비교치 : 대등 $= 1.000$

(5) 그 밖의 요인 보정치 $= 1.50$

(6) 시산가액

$41,000,000 \times 1.03191 \times 1.000 \times 1.000 \times 1.50$ $= 63,500,000원/m^2$

2) 거래사례비교법

(1) 사례 선정

① 선정 기준

위치적, 물적 유사성이 있고 시점수정, 사정보정 등 비교 가능하며 합리적 배분법 적용이 가능한 거래사례 선정

② 거래사례 선정

일반상업, 업무용, 일반업무지대 내 노후화된 건물 소재(철거예정) 거래사례 〈#2〉 선정

③ 제외사유

#1: 이용상황 상이, #3: 사정보정 불가, #4 : 일체수익성, 거래관행 존재(일괄거사비 배분)

(2) 시산가액

$99,000,000,000 \times 1 \times 1.02829 \times 1 \times 1.000 \times 1/1,600 = 63,600,000원/m^2$

*1 시점수정치(상업지역 지가변동률 2025.2.1.~8.7.)

3) 토지가액 결정

감칙 §12에 따라 주된방법인 공시지가기준가액이 다른 방법(거래사례비교법)에 의한 시산가액으로 합리성이 인정되는 바, 주된 방법에 의한 시산가액으로 결정함.

〈$63,500,000 \times 1,500 = 95,250,000,000원$〉

2. 건물(원가법)

1) 개요

업무시설, 철근콘크리트조, 3급수, 5년 경과

2) 건물가액

(1) 건물단가 : $1,400,000 \times 45/50$ $= 1,260,000원/m^2$

(2) 건물가액 : $1,260,000 \times 13,800m^2$ $= 17,388,000,000원$

3. 개별물건기준 시산가액 : 토지 + 건물 $= 112,638,000,000원$

Ⅲ. 일괄 거래사례비교법

1. 사례 선정

1) 선정 기준

위치적, 물적 유사성이 있고 시점수정, 사정보정 등 비교 가능하며 일체 비교가능한 거래사례 선정

2) 사례 선정

일체 효용성 반영 가능한 복합부동산 사례 〈#4〉 선정

2. 시점수정치 : 보합세 $= 1.00000$

3. 가치형성요인비교치 : 대등 $= 1.000$

4. 시산가액

$115,000,000,000 \times 1 \times 1.00000 \times 1.000 \times 1/14,000$ $= 8,210,000원/m^2$

〈$\times 13,800 = 113,298,000,000원$〉

Ⅳ. 일괄수익환원법

1. 개요

① 직접환원법에 의함

② 대상의 수익자료 인근지역의 표준적 임대 수준인 바, 대상 수익 기초하여 수익가액 산정함.

2. NOI

1) PGI

　⑴ 보증금운용이익

　　$(500,000 + 400,000 \times 9) \times 1,000\text{m}^2 \times 0.03$　　　= 123,000,000원

　⑵ 월임대료

　　$(50,000 + 40,000 \times 9) \times 1,000\text{m}^2 \times 12月$　　　= 4,920,000,000원

　⑶ 합계　　　= 5,043,000,000원

3) EGI : PGI × (1-0.05)　　　= 4,790,850,000원

4) OE : EGI × 0.1　　　= 479,085,000원

5) NOI : EGI - OE　　　= 4,311,765,000원

3. 환원율　　　=3.8%

4. 시산가액 : NOI/환원율　　　= 113,468,000,000원

Ⅴ. 시산가액 조정 및 감정평가액 결정

1. 각 방식별 시산가액

- 개별물건기준 :　112,638,000,000원
- 일괄거래사례비교법 :　113,298,000,000원
- 일괄수익환원법 :　113,468,000,000원

2. 감정평가액 결정

1) 결정근거

　감칙§12① 및 §7①에 따른 주된방법(개별물건기준)에 의한 시산가액을 감칙 §12② 및 §7②에 따른 다른 방법(일괄거래사례비교법, 일괄수익환원법)에 의한 시산가액으로 그 합리성을 검토함. 그 결과 개별물건기준 시산가액과 일괄 거래사례비교법 및 수익환원법에 의한 시산가액은 상호 유사하여 합리성이 인정되는바, 주된 방법에 의한 시산가액을 기준으로 최종 감정평가액을 결정함.

2) 감정평가액 결정 :　　　〈112,638,000,000원〉

종합문제 **9** 골프장 (25점)

I. 감정평가 개요

1. 감정평가 목적 : 일반거래 (시가참고)

2. 대상물건 개요 (골프장)
1) 토지 : 일단지, 등록면적 1,000,000㎡ 기준
2) 건물 등 : 최근 완공

3. 기준시점 및 기준가치
2025. 9. 1.(감칙§9②), 시장가치(감칙§5①)를 기준함.

II. 개별물건기준

1. 토지 (골프장 용지)
1) 공시지가기준법
  (1) 적용공시지가 : 기준시점 최근 공시된 〈2025.1.1.〉 적용
  (2) 비교표준지 선정 : 대상부동산 골프장 표준지 〈公#1〉 선정.
  (3) 시산가액 : $31,000 \times 1.00000 \times 1.000 \times 1.000 \times 1.30$ ≒ @40,000원/㎡

2) 원가법
  (1) 소지가액 : $5,000 \times 947,000 + 12,000 \times (50,000 + 3,000)$ ≒ 5,371,000,000
  (2) 조성비용 : $20,000 \times 1,000,000$ ≒ 20,000,000,000
  (3) 취득세 : (2) × 11% ≒ 2,200,000,000
  (4) 시산가액 : $((1) + (2) + (3)) \div 1,000,000$ ≒ @28,000원/㎡

3) 토지가액 결정
  조성원가성에 근거를 둔 원가법 보다 실제 거래가능가격 등 평가선례 등에 의해 시장성을 확보한 공시지가기준법에 의한 시산가액 중심
  〈40,000 × 1,000,000 ≒ 40,000,000,000원〉으로 결정함.

2. 건축물

    1) 클럽하우스 : 1,000,000 × 5,000   ≒ 5,000,000,000

    2) 휴게소 : 600,000 × 500   ≒ 300,000,000

    3) 관리동 : 500,000 × 1,000   ≒ 500,000,000

    4) 計 :   5,800,000,000원

3. 개별물건기준에 의한 시산 가액 : 토지 + 건물   ≒ 45,800,000,000원

Ⅲ (일괄) 거래사례비교법

1. 사례선정 : 면적, 개장일시, 규모(18홀) 등 비교가능성 높은 〈사례A〉

2. 사례 홀당 가격

    520억÷18홀   ≒ 2,888,889,000원/홀

3. 시점수정

    회원권시세 변동률 $(1 + 0.02 \times 32\ /\ 31)$ ≒ 1.02065

4. 지역요인 비교치 :   0.908

5. 개별요인 비교치 : $1.05 \times 0.97 \times 0.98$ ≒ 0.998

6. 시산가액

    $2,888,889,000 \times 1.00 \times 1.02065 \times 0.908 \times 0.998$ ≒ 2,671,924,000원/홀

                                             〈×18홀 ≒ 48,094,632,000원〉

Ⅳ. 시산가액 조정 및 감정평가액 결정

1. 관련 기준

    「감칙」§7① 및 §12①에 따라 토지는 공시지가기준법(§14), 건물은 원가법(§15)을 주된 방법으로 적용한 개별물건기준에 따라 산출된 시산가액을 「감칙」§7② 및 §12②에 따라 산정한 다른 방식(거래사례비교법)에 의한 시산가액으로 합리성을 검토하였음.

2. 각 감정평가방식의 유용성 및 한계

    개별물건기준에 의한 시산가액은 각 물건별 시장가치를 반영하나 골프장을 구성하는 모든 유 · 무형의 자산을 산정하지 못한 한계가 있음.

    일괄 거래사례비교법에 의한 시산가액은 대상부동산의 일체로 거래되는 관행을 반영하는 유용성이 있으나 가치형성요인 분석시 구체적 · 객관적 비교가 요구됨.

3. 시산가액 조정 및 감정평가액 결정

따라서, 대상물건의 성격, 기준가치, 가격자료의 성격·증거력 등을 고려하되 해당 감정평가의 목적이 일반거래로 시장행태 및 거래관행을 고려할 필요가 있는바 감칙§12③에 따라 주된 방법에 의한 시산가액 및 다른 방식에 의한 시산가액을 참작하여 48,000,000,000원으로 감정평가액을 결정함.

종합문제 **10** 물류창고 (25점)

I. 감정평가 개요

1. 감정평가 목적 : 일반거래 (시가참고)

2. 대상물건 개요 (물류창고)

   1) 토지 : 계획관리, 일단지, 48,300㎡, 물류창고용지
   2) 건물 등 : 최근 완공, 연면적 50,000㎡

3. 기준시점 및 기준가치

   가격조사완료일 2025. 9. 1.(감칙§9②), 시장가치(감칙§5①)를 기준함.

II. 개별물건기준

1. 토지

   계획관리. 장. 〈公#1〉 선정

   $115,000 \times 1.00000 \times 1.000 \times 1.000 \times 1.40$ ≒ @161,000

   〈×48,300 ≒ 7,776,300,000〉

2. 건물 (냉장/냉동) : $600,000 \times 50,000$ ≒ 30,000,000,000

3. 합계 : 토지 + 건물 ≒ 37,776,300,000

III. 거래사례비교법

1. 사례선정

   동일 용도 창고, 접근성 유사 등 비교가능성 높은 〈사례③〉 선정
   (#① 창고용도 상이, #② 접근성 상이로 배제)

2. 시점수정치 : 경기도 임대료 추세 매년 5% 상승 적용

   $1.05 \times (1 + 0.05 \times \dfrac{3}{12})$ ≒ 1.06313

3. 개별요인비교 1.070

4. 연면적당 단가

$700,000 \times 1.00 \times 1.06313 \times 1.000 \times 1.070$ ≒ @796,000

5. 시산가액

$796,000 \times 50,000$ ≒ 39,800,000,000

Ⅳ. 수익환원법

1. PGI : $10,000 \times 50,000 \times 12$月 ≒ 6,000,000,000

2. EGI : $1. \times (1 - 0.1)$ ≒ 5,400,000,000

3. OE

   1) 변동경비 : $EGI \times 0.2$ ≒ 1,080,000,000
   2) 고정경비 : $PGI \times 0.2$ ≒ 1,200,000,000
   3) 계 2,280,000,000

4. NOI : 2. - 3. ≒ 3,120,000,000

5. 환원율 (Income rate) 8% 기준

6. 시산가액 : $NOI \div R$ ≒ 39,000,000,000

Ⅴ. 시산가액조정 및 감정평가액 결정

1. 감정평가 목적

일반거래 시가참고를 목적으로 하는바 시장의 시세를 충분히 고려할 필요성 있음

2. 물류창고업 동향-시장분석 (물류창고)

물건이 속한 권역의 경쟁력, 접근성 등 고려

3. 대상 성격 고려-개별분석

물류창고의 성격, 임대료 동향, 창고완공에 따른 가격 및 임대료를 감안

4. 각 시산가액의 유용성 및 한계
    1) 원가법 : 공급자 중심의 원가성에 치중될 우려
    2) 거래사례비교법 : 시장의 동향 및 특성을 반영
    3) 수익환원법 : 수익성 부동산으로서의 개별성 반영

5. 결정
    「감칙」§12①에 따라 토지는 「감칙」 §14의 공시지가기준법, 건물은 「감칙」§15의 원가법이 주된 방법으로 다른 방식인 거래사례비교법 및 수익환원법의 시산가액과 비교결과 주된 방법에 의한 시산가액이 다소 낮음. 이는 물류창고의 거래 및 임대가 토지건물 일체로 거래되는 관행에 따른 것으로 주된 방법에 의한 시산가액이 이러한 점을 충분히 반영하기 어려운바 일괄감정평가 방식인 거래사례비교법과 수익환원법에 의한 시산가액을 중심으로 〈39,000,000,000원〉으로 결정

종합문제 11 호텔 (25점)

I. 감정평가 개요

1. 감정평가 목적 : 일반거래 (시가참고)

2. 대상물건 개요 (호텔)

① 토지 : 일반상업, 1,800㎡, 상업용

② 건물 등 : 특1급, 270개 객실, 연면적 25,240.46㎡

3. 기준시점 및 기준가치

2025. 5. 31.(감칙§9②), 시장가치(감칙§5①)를 기준함.

II. 개별물건기준

1. 토지가액

1) 비교표준지 선정 : 대상부동산 표준지 〈#B〉 선정

2) 토지가액

$$25,900,000 \times 1.00000 \times 1.000 \times 1.000 \times 2.10 \qquad ≒ @54,400,000원/m^2$$

$$\langle \times 1,800.0 ≒ 97,920,000,000원 \rangle$$

2. 건물가액

$$(1,800,000 + 400,000) \times 25,240.46 \qquad\qquad ≒ 55,529,012,000원$$

3. 시산가액 : 1. + 2. ≒ 153,449,012,000원

III. (일괄) 거래사례비교법

1. 사례선정 : 용도지역, 이용상황, 동일, 인근, 최근사례〈사례 2〉

(#1 : 용도지역, 규모 상이하여 배제)

2. 시점수정 : 1.03000

3. 연면적당 단가

$$5,982,000 \times 1.00 \times 1.03000 \times 1.000 \times 1.035 \qquad ≒ @6,380,000원/㎡$$

4. 시산가액 : 3. × 25,240.46 ≒ 161,034,000,000원

Ⅳ. (일괄) 수익환원법(DCF법)

1. 예상 매출 (PGI)

   1) 객실매출 : 120,000 × 270 × 365 × 0.85   ≒ 10,052,100,000

   2) 식음료 :   532,000,000

   3) 기타 : 1) × 0.15   ≒ 1,507,815,000

   4) 계 : 1) + 2) + 3)   ≒ 12,091,915,000

2. NOI : 1. × 0.5   ≒ 6,045,958,000

3. 기말재매도가치 : [2. × 1.02^5] ÷ 0.05   ≒ 133,504,000,000

4. 수익가액

   Σ NOI현가 + 기말재매도 / 1.069^5

$$\fallingdotseq 6{,}045{,}958{,}000 \times \frac{1 - \left(\dfrac{1.02}{1.069}\right)^5}{(0.069 - 0.02)} + 133{,}504{,}000{,}000 / 1.069^5$$

        ≒121,434,000,000원

Ⅴ. 시산가액 조정 및 감정평가액 결정

1. 관련 근거

「감정평가에 관한 규칙」 §7① 및 §12①에 따라 토지는 공시지가기준법(§14), 건물은 원가법(§15)을 주된 방법으로 적용한 개별물건기준에 따라 산출된 시산가액을 「감정평가에 관한 규칙」 §7② 및 §12②에 따라 산정한 다른 방식(거래사례비교법, 수익환원법)에 의한 시산가액으로 합리성을 검토함.

2. 호텔 시장의 특성

호텔시장은 관광산업의 동향의 분석이 선행될 필요가 있고, 복합부동산으로서 일체로 거래되는 관행이 형성되어 있음.

3. 대상부동산 성격

대상은 호텔(특1등급), 수익성부동산, 장기임대차 계약(마스터리스)의 특징을 가지고 있음.

4. 각 평가방식의 유용성 및 한계

개별물건기준(원가방식)은 토지 및 건물의 일체로 거래되는 관행에 부합되지 못하며, 특수부동
산으로서의 시장특성을 반영하는 거래사례비교법 및 수익성을 반영하고 있는 수익환원법의
유용성이 인정됨.

5. 감정평가액 결정

따라서, 감칙§12③에 따라 특수부동산의 시장특성 등 고려 거래사례비교법 및 수익환원법에
비중을 두어 160,000,000,000원으로 결정

Chapter

06

비가치추계 연습

연습문제 1 토지 최고최선의 이용 판정 (20점)

🔍 문제분석

자료 분석	목차 및 논점 분석
〈자료 1〉 대상부동산에 대한 자료 〈자료 2〉 인근지역개황	→ 대상물건 확정 "토지에 대한 분석" → 합리적 이용 범위(분석 대상 용도)
〈자료 3〉 대안A(업무용)에 대한 자료 〈자료 4〉 대안B(상업용)에 대한 자료 〈자료 5〉 1층 건축시의 건축비용 〈자료 6〉 환원율 등	→ 대안A(업무용) 전체 수익자료 → 대안B(상업용) 전체 수익자료 → (건물 귀속분) → 건물배분 방법(잔여환원법, 차감배분법)

Ⅰ. 개요

토지의 최유효이용판정으로 여러 대안 중 토지가치가 최대로 되는 대안을 최유효이용으로 판정함.

Ⅱ. (물음 1) 최유효이용의 판정기준

1. 최유효이용의 의의

나지 또는 개량부동산에 대해서 합리적이며 합법적으로 이용가능한 대안 중에서, 물리적으로 채택이 가능하고, 경험적인 자료에 의해서 적절히 지지될 수 있고, 경제적으로도 타당성이 있다고 판명된 것으로서 최고의 가치를 창출하는 이용을 말한다.

2. 판정기준

1) 합리적 이용 : 시장 내에서 합리적으로 가능하고, 경제적으로도 타당한 이용
2) 합법적 이용 : 각종 공법상 규제 및 기준에 어긋나지 않는 이용
3) 물리적 채택가능성 : 토지의 모양, 하중지지력, 편익시설의 유용성 등의 사항
4) 최고수익에 대한 경험적 증거 : 시장에서의 객관적인 증거로서 뒷받침되는 이용

III. 용도판정 (최유효이용 결정)

1. 대안 A (업무용)

1) 전체 NOI

$$\{8,000 \times 12 \times (1+0.12)\} \times \underset{\text{전용면적}}{(25 \times 50 \times 0.8)} \times (1-0.2) \qquad \fallingdotseq 86,016,000$$

2) 건물 귀속 NOI (잔가율 0, 직선법, 만년감가, 이하 동일)

$$270,000 \times 25 \times 50 \times (0.08 + \frac{1}{50}) \qquad \fallingdotseq 33,750,000$$

3) 토지가치

$$(86,016,000 - 33,750,000) \div 0.08 \qquad \fallingdotseq 653,325,000$$

2. 대안 B (상업용)

1) 전체 NOI

$$\{8,500 \times 12 \times (1 + 0.12)\} \times (25 \times 50 \times 0.95) \times (1 - 0.2) \qquad \fallingdotseq 108,528,000$$

2) 건물 귀속 NOI

$$330,000 \times 25 \times 50 \times \left(0.08 + \frac{1}{50}\right) \qquad \fallingdotseq 41,250,000$$

3) 토지가치

$$(108,528,000 - 41,250,000) \div 0.08 \qquad \fallingdotseq 840,975,000$$

3. 용도에 따른 최유효판정

대안 B 상업용의 토지가치가 더 크므로 상업용으로 결정

연습문제 **2** 토지 최고최선의 이용 및 시장가치 (20점)

🔍 문제분석

자료 분석	목차 및 논점 분석
〈자료 1〉 대상 부동산에 관한 자료 5. 인근지역의 개황	→ 대상물건 확정 "토지에 대한 분석" → 합리적 이용 범위(분석 대상 용도)
〈자료 4〉 대상토지의 대안적 개발사업에 관한 자료 1. Case A : 상업용건물의 건축 2. Case B : 업무용건물의 건축 3. 상정한 대상건물의 용도별 건축비	→ 대안A 전체 수익자료 → 대안B 전체 수익자료 → 대안별 건물 차감 자료 ☞ 토지 귀속 가치 산정
〈자료 2〉 공시지가 자료 〈자료 3〉 거래사례자료 〈자료 5〉 건물에 관한 자료	→ 결정 용도에 따른 표준선정, 공시지가기준법 → 결정 용도에 따른 사례선정, 거래사례비교법 → 거래사례 건물배분
〈자료 6〉 지가변동률 및 요인비교자료 등 〈자료 7〉 환원율 등	→ 비교가능성 파악, 환원율의 활용(환원방법)

Ⅰ. 감정평가 개요

기준시점 2025. 9. 1을 기준으로 대상 토지의 최고최선의 이용을 판단하고 그 이용을 상정하여 대상토지의 시장가치를 추계하기로 한다.

Ⅱ. (물음 1) 토지이용 분석

나지에 대한 분석으로서 토지잔여법을 적용하여 최고의 가치를 창출하는 이용방법을 대상토지의 최고최선의 이용방법으로 판단한다.

1. Case A (상업용)

1) NOI : $(7,500 \times \underset{\text{전용면적}}{4,800} \times 12 + 350,000,000 \times 0.12) \times 0.9 \times 0.9 ≒ 383,940,000$

2) 토지 귀속 NOI : $383,940,000 - \underset{\text{연면적}}{260,000 \times 5,200} \times \underset{r_B}{0.17} ≒ 154,100,000$

   $\underset{NOI}{}$

　　3) 토지가치 : 154,100,000 ÷ 0.10　　　　　　　　　　　　　　≒1,541,000,000
　　　　　　　　　　토지 귀속 NOI　　　　r_L

2. Case B (업무용)

　　1) NOI : $(7,800 \times 4,400 \times 12 + 450,000,000 \times 0.12) \times 0.95 \times 0.9 ≒ 398,293,000$
　　　　　　　　　　　전용면적

　　2) 토지 귀속 NOI

　　　398,293,000 − 340,000× 4,800 × 0.17　　　　　　　　　≒ 120,853,000
　　　　　NOI　　　　　　　　　연면적　　　r_B

　　3) 토지가치

　　　120,853,000 ÷ 0.10　　　　　　　　　　　　　　　　≒ 1,208,530,000
　　　　　토지귀속소득　　　　r_L

3. 대상토지의 최고최선의 이용

　　1) Case A : 1,541,000,000
　　2) Case B : 1,208,530,000

　　토지잔여법을 적용하여 추계한 토지가치 중 상업용 이용이 더 큰 가치를 보이는 바, 대상토지의
　　최고최선의 이용을 "상업용(caseA)"으로 판단한다.

Ⅲ. (물음 2) 대상토지의 시장가치

　　"상업용"으로 이용하는 경우의 대상토지 시장가치를 추계한다.

1. 공시지가기준법

　　인근에 위치하며, 용도지역, 이용상황에서 비교성이 있는 공시지가#2를 선정.

　　$1,300,000 \times 1.00000 \times 1.000 \times \dfrac{100}{97} \times 1.00$　　　　　≒ 1,340,000원/m^2
　　　　　　시[1]　　　　　　　지　　　　개　　　그

　　　　　　　　　　　　　　　　　　　　　　〈×1,000 ≒ 1,340,000,000원〉

[1] (2025. 1. 1~2025. 9. 1 : 상업지역) : 보합세

2. 거래사례비교법

이용상황(상업용)에서 비교가능하며, 정상적인 사례인 #2를 선정.

1) 사례건물가액 (2025. 2. 1)

$$260,000 \times 1 \times 1.00000 \times \frac{102}{100} \times 0.966 \times 5,200 \fallingdotseq 1,332,153,000$$

$$\quad\quad 사 \quad\quad 시^{1)} \quad\quad 개 \quad\quad 잔^{2)} \quad\quad 면$$

1) 건축비지수 : 보합세

2) 잔가율 $0.7 \times \dfrac{49}{50} + 0.3 \times \dfrac{14}{15} = 0.966$

2) 사례토지거래가액

$$2,700,000,000 - 1,332,153,000 \fallingdotseq 1,367,847,000$$

3) 비준가액

$$1,367,847,000 \times 1 \times 1.00000 \times \frac{102}{100} \times \frac{100}{101} \times \frac{1,000}{1,050} \fallingdotseq 1,315,610,000원$$

$$\quad\quad 사 \quad\quad 시^{1)} \quad\quad 지 \quad\quad 개 \quad\quad 면$$

1) (2025. 2. 1~2025. 9. 1 : 상업지역) : 보합세

3. 수익환원법 : 최고최선의 이용분석시 추계함

$$\fallingdotseq 1,541,000,000$$

4. 대상토지의 시장가치 결정

본 평가목적이 "토지의 최고최선의 이용분석 결과에 따른 시장가치의 산정"이라는 점을 고려하고, 감정평가법§3, 감칙§12 및 §14에 의거 주된 방법인 공시지가기준법에 의한 시산가액이 다른 방식에 의한 시산가액과 합리성이 인정되는 바, 주된 방법에 의한 시산가액인 1,340,000,000원으로 감정평가액을 결정함.

연습문제 3 개량물의 최고최선 분석 (15점)

🔍 문제분석

자료 분석	목차 및 논점 분석
〈자료 1〉 대상부동산 2. 대상 및 주위환경	→ 대상물건 확정 "개량물의 분석" → 합리적 이용 범위 (분석 대상 : 현황, 리모델링, 신축)
〈자료 2〉 기준시점 현재 대상부동산의 임대내역 〈자료 3〉 인근 표준지 공시지가 〈자료 4〉 리모델링(상업용)의 경우 임대내역 〈자료 5〉 기타 관련자료	→ 현황 가치 산정 → 철거 후 신축 가치 산정 → 리모델링 후 가치 산정 → 각 대안별 환원 및 철거비 차감
〈자료 6〉 지가변동률 및 요인비교치	→ 비교가능성 파악

Ⅰ. 감정평가 개요

개량물의 최고최선의 분석을 기반으로 시장가치 산정(기준시점 2025. 8.31)

Ⅱ. 현 상태 (일괄 수익환원법)

1. NOI

2,038,874,000 - 1,108,436,000   ≒ 930,438,000

2. 부동산 가치

NOI ÷ 0.1   ≒ 9,304,380,000

Ⅲ. 리모델링시 (상업용)

1. NOI

3,163,516,000 - 1,577,085,000   ≒ 1,586,431,000

2. 전환비용 고려 자본환원가치 (개량물 상태)

1,586,431,000 ÷ 0.11 - 2,500,000,000   ≒ 11,922,100,000
                              자본적 지출

Ⅳ. 철거 후 신축 (업무용)

1. 나지상정 토지가액 (공시지가기준법)

일반상업 업무용⟨#1⟩

$7,800,000 \times 1.02056 \times 1.000 \times \dfrac{0.95}{0.9} \times 1.00$ ≒ 8,400,000원/m²

⟨× 1,000   ≒ 8,400,000,000⟩

2. 개량물 상태 (철거비 고려)

84억 − 50,000 × 5,200   ≒ 8,140,000,000원

Ⅴ. 감정평가액 결정

1. 현상태 : 9,300,000,000

2. 상업용 (리모델링) : 11,922,100,000

3. 업무용 (신축) : 8,140,000,000

4. 결정

1) 용도결정 (이용상황)

최고의 경제적 가치를 창출하는 '상업용' (리모델링)이 가장 합리적인 이용(개발)방안임.

2) 감정평가액 결정

119억으로 결정

3) 감정평가액 검토

업무용 신축의 이용방안은 성숙이 미진하고 현 부동산을 철거하는 경우 공사비 과다, 공사기간 동안 임대료 수익의 매몰 및 기회비용이 발생하여 철거 후 신축하는 것보다 리모델링으로 개발하는 방안이 지지되는 것으로 판단됨.

연습문제 **4** NPV법 (토지) ^(15점)

🔍 문제분석

자료 분석	목차 및 논점 분석
〈자료 1〉 개발계획	→ 대상물건 확정 "토지에 대한 분석(개발법논리)"
〈자료 2〉 대상부동산의 개황	→ 분석의 범위(용도), 매입비용(소지 : outflow)
〈자료 3〉 건물 신축계획 등	→ outflow(개발 비용 등 : 건물부분 공통)
〈자료 4〉 임대수입관련자료	→ inflow　개발 後 투자가치
〈자료 5〉 할인율 및 기타	→ 환원 또는 할인 방법 및 율 결정

Ⅰ. 개요

대상은 개발계획의 타당성을 결정하는 것으로서, 일반상업지역 내 복합부동산의 구입가격과 향후 현금유입의 현가를 비교하여 결정한다. (기준시점 : 2025. 9. 1)

Ⅱ. 현금유출의 현가

1. 부동산의 구입가격

$$1,121,000,000 + 1,700,000,000 \qquad ≒ 2,821,000,000원$$

2. 공사비 등의 현가

1) 건축공사비

$$500,000 \times 10,400m^2 \times \left(0.2 + \frac{0.8}{1.01^{12}} \right) \qquad ≒ 4,731,789,000원$$

2) 이윤 : $500,000 \times 10,400 \times \dfrac{0.2}{1.01^{12}}$　　　　　≒ 922,947,000원

3) 기타 : $4,731,789,000 \times 0.1$　　　　　≒ 473,179,000원

4) 합계　　　　　≒ 6,127,915,000원

3. 합계

$$2,821,000,000 + 6,127,915,000 \qquad ≒ 8,948,915,000원$$

Ⅲ. 현금유입의 현가

1. NOI

1,693,294,000 × (1 − 0.3)　　　　　　　　　　　　　　≒ 1,185,306,000원

2. 임대 개시시점의 수익가치 (2026. 9. 1)

1) 환원율

0.15 − 0.6 × (0.15 + 0 × SFF − 0.1) + 0.1 × 0.15/(1.15^5 − 1)　　　≒ 0.1348

> **[별해]**
>
> Akerson방식
>
> E/V × y + L/V × r − L/V × p × SFF − $\varDelta$ · SFF
> ≒ 0.4 × 0.15 + 0.6 × 0.1 − 0 + 0.1 × 0.15/(1.15^5 − 1) ≒ 0.1348

2) 임대 개시시점의 수익가치

1,185,306,000 ÷ 0.1348　　　　　　　　　　　　　　≒ 8,793,071,000원

3. 기준시점의 투자가치 (현금유입의 현가)

8,793,071,000 / 1.12[1]　　　　　　　　　　　　　　≒ 7,850,956,000원

[1] WACC인 12%(≒0.4×0.15+0.6×0.1)로 할인하였지만, 공사비 등의 할인율 1%로 할인하여도 무방하다고 사료된다.

Ⅳ. 타당성 분석 (감칙 제27조)

1. NPV

7,850,956,000 − 8,948,915,000　　　　　　　　　　　　≒ − 1,097,959,000

2. 타당성 여부

NPV < 0이므로 당해사업의 경제적 타당성은 없는 것으로 판단된다.

연습문제 **5** NPV법 / IRR법 (토지) (20점)

(물음 1) NPV, IRR 산정

1. 매월 현금흐름분석표

(단위 : 개월, 천원)

구 분		0	1	2	3	4
I. 현금유입	분양수입				+527,696	+1,055,392
II. 현금유출	소지구입비	−495,000				
	조성공사비		−165,000	−330,000	−330,000	
	일반관리비				−79,154	
	개발이윤				−88,743	
III. 현금흐름 (≒ I − II)		−495,000	−165,000	−330,000	+29,799	+1,055,392

2. $NPV_{1\%}$

$$\simeq -495,000 - \frac{165,000}{1.01} - \frac{330,000}{1.01^2} + \frac{29,799}{1.01^3} + \frac{1,055,392}{1.01^4} \qquad \simeq 61,270,000$$

* 요구수익률

3. IRR

1) $NPV_{1\%}$ $\simeq 61,270$천원

2) $NPV_{3\%} \simeq -495,000 - \dfrac{165,000}{1.03} - \dfrac{330,000}{1.03^2} + \dfrac{29,799}{1.03^3} + \dfrac{1,055,392}{1.03^4}$

$$\simeq -1,278,000$$

3) $IRR \simeq 1\% + (3\% - 1\%) \times \dfrac{NPV_{1\%}}{NPV_{1\%} - NPV_{3\%}}$ $\simeq 2.96\%$(월)

(물음 2) 경제적 타당성 검토 (감칙 제27조)

- $NPV_{1\%} = 61,270,000 > 0$
- $IRR = 2.96\% > 1\%$

상기와 같이 투자지표가 추계되었는바, ○○부동산투자회사는 요구수익률인 월 1%를 충분히 충족시킬 수 있다. 따라서 대상 개발사업의 경제적 타당성은 인정된다고 할 수 있다.

연습문제 6 투자우위분석 (토지) (25점)

🔍 문제분석

자료 분석	목차 및 논점 분석
〈자료 1〉 기준일자 〈자료 2〉 대상토지에 관한 내용	→ 대상물건 확정 "토지에 대한 분석(개발법 논리)" → 분석의 범위(용도)
〈자료 3〉 비교표준지의 공시지가 〈자료 5〉 빌라트 건축계획 〈자료 6〉 빌라트 분양계획 〈자료 7〉 빌라트 임대계획	→ 개발 前 현황 시장가치 → outflow(개발 비용 등 : 건물부분 공통) → inflow 개발 後 투자가치(개발법) → inflow 개발 後 투자가치(잔여환원법)
〈자료 4〉 지가변동률 〈자료 8〉 각종 이자율, 이율 및 수익률 〈자료 9〉 계산단계별 단수처리	→ 비교가능성 파악, 환원 및 할인율 결정

I. (물음 1) 현 상태 가치

1. 대상물건 확정

기부채납 대상 토지부분(저촉감가 고려)을 포함하여 개발 전 현 상태의 가치를 산정함.

2. 공시지가기준법

$$610,000 \times 1.00000 \times \frac{100}{102} \times \frac{100}{106} \times 1.00 \qquad ≒ 564,000원/m^2$$

시 　 지 　 개 　 그

3. 현 상태 토지가치

건축부지와 도시계획도로저촉부분을 구분평가하되 도시계획도로 저촉부지는 70% 수준으로 평가함.

1) 건축부지 : 564,000×2,500 　　　　　　　　　　≒ 1,410,000,000원
2) 저촉부지 : 564,000×0.7×500 　　　　　　　　≒ 197,400,000원
3) 토지가액 : 　　　　　　　　　　　　　　　　≒ 1,607,400,000원

Ⅱ. (물음 2) 투자우위분석

1. 개요

토지의 투자가치를 기준으로 개발여부 및 개발대안을 결정한다.

단 할인율은 요구수익률이 제시되지 않아 시장이자율을 적용한다.

2. 분양에 따른 토지가치

1) 분양수입 현가합

 (1) 총수입 : 650,000,000 × 18　　　　　　　　　　　　　≒ 11,700,000,000

 (2) 현가

  11,700,000,000 × (0.2 × 0.961 + 0.3 × 0.933 + 0.5 × 0.887) ≒ 10,712,520,000

2) 건축공사비 등　　　　　　　　　　　　　　　　　　　　≒ 8,000,000,000

3) 분양시 토지가치 : 1) - 2)　　　　　　　　　　　　　　≒ 2,712,520,000

3. 임대에 따른 토지가치

1) 토지 건물 전체 수익가액

 (1) 개요 : 토지 · 건물 일체로 한 수익가액 산정한다.

 (2) NOI

  ① 실질임대료 : (3,000,000 × 12 + 250,000,000 × 0.08) × 18　≒ 1,008,000,000

  ② OE　　　　　　　　　　　　　　　　　　　　　　≒ 129,681,000

  ③ NOI　　　　　　　　　　　　　　　　　　　　　　≒ 878,319,000

 (3) 수익가액

  878,319,000 ÷ 0.07 × 0.887　　　　　　　　　　　　≒ 11,130,000,000

  주) 기준시점(월1%)

2) 건축비　　　　　　　　　　　　　　　　　　　　　　　≒ 8,000,000,000

3) 임대시 토지가치 : 1) - 2)　　　　　　　　　　　　　　≒ 3,130,000,000

4. 투자우위 판단

1) 현황 토지 가치 :　　　　　　　　　　　　　　　　　　1,607,400,000원

2) 개발 후 토지 가치

 (1) 분양시 :　　　　　　　　　　　　　　　　　　　　2,712,520,000원

 (2) 임대시 :　　　　　　　　　　　　　　　　　　　　3,130,000,000원

3) 개발여부 판단

현황 토지가치에 비해 개발 후의 토지가치가 분양 및 임대시 모두 증가하여 개발의 타당성이 인정된다.

4) 투자 대안의 결정

상호 배타적 투자안인 점을 고려할 때 임대안에 투자 우위가 있다고 판단된다. 비용의 관점에서 임대의 경우 임차자 모집비용을 별도로 고려하지 않았으나, 분양의 경우 분양에 따른 판관비의 과다 발생이 그 이유로 보인다. 또, 시장의 측면에서 매매시장보다는 임대시장이 성숙된 상태로 임대수입의 확보가 용이해 보인다. 그러나 매매시장 및 임대시장의 연동성을 고려하는 경우 양 시장이 균형을 이룰 수 있어 이에 대한 예측도 필요하다.

연습문제 7 지분환원률과 표준편차 ^(15점)

I. 지분환원율(Re)

1. 비관적인 경우

1) 지분수익 : 500,000,000 × (1 - 0.08) × (1 - 0.42) - 255,000,000   ≒ 11,800,000

2) Re : $\dfrac{11,800,000}{450,000,000}$ ≒ 2.62%

2. 일반적인 경우

1) 지분수익 : 530,000,000 × (1 - 0.06) × (1 - 0.38) - 255,000,000   ≒ 53,884,000

2) Re : $\dfrac{53,884,000}{450,000,000}$ ≒ 11.97%

3. 낙관적인 경우

1) 지분수익 : 560,000,000 × (1 - 0.05) × (1 - 0.35) - 255,000,000   ≒ 90,800,000

2) Re : $\dfrac{90,800,000}{450,000,000}$ ≒ 20.18%

4. 부동산의 A의 Re

0.25 × 0.0262 + 0.5 × 0.1197 + 0.25 × 0.2022   ≒ 11.69%

II. 표준편차(σ_E)

1. 분산

$0.25 × (0.1169 - 0.0262)^2 + 0.5 × (0.1169 - 0.1197)^2 + 0.25 × (0.1169 - 0.2022)^2$

≒ 0.0039

2. σ_E

$\sqrt{0.0039}$ ≒ 6.25%

연습문제 8 레버리지 효과 (개량물) (15점)

I. 세전 Leverage effect

1. 무저당 총수익률 : $\dfrac{12,000,000}{100,000,000}$ ≒ 12%

2. 레버리지 효과 : $(12\% - 10\%) \times \dfrac{80}{20}$ ≒ 8%

[별해]

(2) 80% 대부시 지분수익률f(χ)

$-20,000,000 + \dfrac{4,000,000}{(1+\chi)} + \cdots + \dfrac{4,000,000 + 20,000,000}{(1+\chi)^5} ≒ 0$

⟨χ ≒ 20%⟩

(3) 레버리지 효과 : 20 - 12 ≒ 8%

II. 세후 Leverage effect

1. 무저당 총수익률

1) 매기 ATCF

$12,000,000 - (12,000,000 - \dfrac{85,000,000}{31.5}) \times 0.28$ ≒ 9,395,000

dep. *2,698,000   TAX

2) 기간말 지분복귀액

$100,000,000 - (100,000,000 - 100,000,000 + 2,698,000 \times 5) \times 0.28$

재매도P.   dep.   TAX

≒ 96,223,000

3) 총수익률

$f(\chi) ≒ -100,000,000 + \dfrac{9,395,000}{(1+\chi)} + \cdots + \dfrac{9,395,000 + 96,223,000}{(1+\chi)^5}$ ≒ 0

⟨χ ≒ 8.76%⟩

2. 80% 대부시 지분수익률

1) 매기 ATCF

$$\underset{\text{NOI}}{12,000,000} - \underset{\text{DS}}{80,000,000 \times 0.1} - \underset{\text{TAX}^{1)}}{365,000} \qquad\qquad ≒ 3,635,000$$

1) TAX $\underset{\text{BTCF}}{(4,000,000 - 2,698,000)} \times 0.28$

2) 기간말 지분복귀액

$$\underset{\text{재매도}}{100,000,000} - \underset{\text{미상환저당잔금}}{80,000,000} - \underset{\text{tax}^{1)}}{3,777,000} \qquad\qquad ≒ 16,223,000$$

1) TAX$(100,000,000 - 100,000,000 + 2,698,000 \times 5) \times 0.28$

3) 지분수익률

$$f(\chi) ≒ -20,000,000 + \frac{3,635,000}{(1+\chi)} + \cdots + \frac{3,635,000 + 16,223,000}{(1+\chi)^5} \qquad ≒ 0$$

$$\langle \chi ≒ 15.4\% \rangle$$

3. 레버리지 효과 : 15.4% - 8.8%   ≒ 6.6%

비가치추계 종합

종합문제 1 개량물의 최고최선 (25점)

문제분석

자료 분석	목차 및 논점 분석
〈자료 1〉 대상부동산 기본자료	→ 대상물건 확정 "개량물에 대한 분석"
〈자료 4〉 공통자료 (자료 4-1) 인근지역의 지역개황 등 (자료 4-3) 지반에 따른 건축가능층수	→ 경제적 타당성 검토에 앞서 합리적, 합법적, 물리적 채택 가능성 기준 검토
〈자료 2〉 A씨가 개발업자들로부터 제시받은 개발방안 자료 〈자료 4〉 공통자료 (자료 4-2) 건축비 및 경제적 내용년수	→ 철거 후 신축 자료 → 합리적, 합법적, 물리적 불가능 대안 제외 → 대안에 따른 전체 수익가치 자료 → 대안별 건물 차감 자료 ☞ 현황 귀속 가치 산정
〈자료 3〉 대상부동산의 감정평가자료 (자료 3-1) 인근 공시지가자료 〈자료 4〉 공통자료 (자료 4-2) 건축비 및 경제적 내용년수	→ 현황 가치 산정 자료 → 토지의 공시지가 기준법 → 현황 가치 산정 자료 → 건물 원가법
(자료 4-4) 지가변동률 및 건축비지수 (자료 4-5) 개별요인 비교자료 (자료 4-6) 기타자료	→ 비교가능성 파악, 환원율의 활용(환원방법)

I. (물음 1) 개발방안의 타당성 분석

1. 개발방안의 선택

최유효이용이란 대상부동산에 대해 합리적이며 합법적으로 이용 가능한 대안 중에서 물리적으로 채택가능하고 경제적으로도 타당성이 있다고 판명된 것으로서 최고의 가치를 창출하는 이용을 말하는 바, 합리적·합법적 이용으로 물리적 채택가능성이 있는 〈대안#2〉를 선택.

2. 개발방안 배제 사유

1) 대안 #1의 K시 B구는 상업지로의 진행이 급속히 진행되어 주거지로서의 기능이 대체로 상실되어 주변상황이나 수요의 측면에서 주거용 건축물인 소형아파트의 개발은 합리성이 결여되어 배제함.

2) 대안 #3는 본건 인근지역의 지질 및 지반상태가 연암지대임에 따라 건축가능 층수가 지하 2층임에도 지하 3층을 계획하여 물리적 채택 가능성에서 배제됨.

3. 경제적 타당성 분석

   1) 개발 후 부동산가치 :   2,210,000,000

   2) 건축비 등 개발비용 현가

   $$[480,000 \times (300 \times 2 + 180 \times 1 + 320 \times 6) + 60,000 \times 450] \times \frac{1}{(1+0.1/12)^2}$$

   $$≒ 1,301,000,000$$

   3) 부동산 가치 : 1) - 2) $≒ 909,000,000$

4. 최종 개발대안의 제시 및 부동산 가치

   대안 #2(상업용)가 최고의 가치를 창출하는 최유효이용임에 따른 가치는 909,000,000원임.

II. (물음 2) 현 상태의 부동산 가치

1. 토지가액

   1) 비교표준지 선정 : #4

      용도지역(일반상업), 이용상황(주상용) 등에서 비교가능성이 높아 선정함

      #1은 이용상황, #2는 용도지역, #3은 규모 등의 측면에서 상이하여 배제함.

   2) 토지단가

      $1,300,000 \times 1.01982 \times 1.000 \times 1.026 \times 1.00$ $≒ 1,360,000$원/m^2

      　　　　　　시[1]　　　　　지　　　개[2]　　　그

      1) $1.01980 \times (1 + 0.00075 \times 1/31)$
      2) 1.08×0.95

2. 건물가액

   $$660,000 \times \frac{35}{45} \qquad\qquad ≒ 513,000원/m^2$$

   　　　　　　　잔

3. 현 상태 부동산가액

   $1,360,000 \times 500 + 513,000 \times 450$ $≒ 911,000,000$원

III. 시장가치

상업용을 전제로 한 개발대안 #2의 부동산 가치가 909,000,000원으로 현 상태의 부동산 가치인 911,000,000원보다 작아 대상부동산은 현재 상태의 이용이 중도적 이용으로 할당되는 바, 현황을 기준으로 한 시장 가치 911,000,000원으로 결정함.

종합문제 2 MNPV (증분NPV) (15점)

🔍 문제분석

자료 분석	목차 및 논점 분석
〈자료 1〉 대상부동산 기본자료 5. 토지매입비 : @ 1,715,000원/m²	→ 대상물건 확정 "토지에 대한 분석(개발법 논리)"
〈자료 2〉 개발계획 4. 5층만의 분양수입 : 754,874,000원 5. 5층 개발시 NPV : (+) 285,478,000원 〈자료 3〉 층별효용비	→ 5층 기준 NPV → 각 층별 증분 inflow
〈자료 4〉 개발비용 자료	→ 각 층별 증분 outflow
〈자료 6〉 기타자료	→ 현금 흐름 기준 등

I. (물음 1) 증분 NPV(MNPV)

1. MNPV6층

1) 현금유입 현가 증분

$754,874,000 \times 0.25 \times (1.01^{-21} + 1.01^{-22} + 1.01^{-23} + 1.01^{-24}) \fallingdotseq 603,490,000$

2) 현금유출 현가 증분

(1) 개발비용 증분 :

$[(796,000 + 99,800) \times 8 - (770,000 + 99,800) \times 7] \times 630 \fallingdotseq 679,014,000$원

(2) 현가 : (1) $\times 1.01^{-24}$ $\fallingdotseq 534,768,000$원

3) MNPV_{6층} : 1) - 2) $\fallingdotseq (+)68,722,000$원

2. MNPV7층

1) 현금유입 현가 증분 $\fallingdotseq 603,490,000$원

2) 현금유출 현가 증분

$[(796,000 + 99,800) \times 630] \times 1.01^{-24}$ $\fallingdotseq 444,466,000$원

3) MNPV_{7층} : 1) - 2) $\fallingdotseq (+)159,024,000$원

3. MNPV8층

　1) 현금유입 현가 증분　　　　　　　　　　　　　　　≒ 603,490,000

　2) 현금유출 현가 증분

　　$[(858,000 + 99,800) \times 10 - (796,000 + 99,800) \times 9] \times 630 \times 1.01^{-24}$

　　　　　　　　　　　　　　　　　　　　　　　≒ 752,089,000원

　3) $MNPV_{8층}$: 1) - 2)　　　　　　　　　　　　≒ (-)148,599,000원

II. (물음 2) 최적층수 및 순현재가치

1. 최적층수의 결정

　MNPV < 0 이전 층수로서 경제적 관점 최적 층수는 〈7층〉임.

2. 순현재가치 (NPV)

　285,478,000 + 68,722,000 + 159,024,000　　　　≒ (+)513,224,000원

　※ NPV법은 가치가산원리가 성립하므로, "ΣMNPV≒NPV"가 인정된다. 이에 부의 극대화를 목적으로 한 유효한
　　투자분석 기법으로 인정된다.

종합문제 3 개량물의 타당성 (25점)

🔍 문제분석

자료 분석	목차 및 논점 분석
〈자료 1〉 A빌딩의 개요	→ 대상물건 확정
〈자료 2〉 비교표준지의 현황 〈자료 3〉 건물에 대한 자료 〈자료 5〉 A빌딩의 현행 임대료 등의 내역 〈자료 6〉 인근 빌딩의 임대료수준 및 계약 　　　　　조건 등	→ 토지 공시지가기준법 → 건물 원가법(분해법) → DCF법(투자가치) 일괄평가 → DCF법(투자가치) 산정을 위한 계약 조건 등
〈자료 4〉 토지특성에 따른 격차율 〈자료 7〉　지가변동률 〈자료 8〉 보증금운용이율 등	→ 비교가능성 파악, 환원 및 할인율 결정 (보증금 전환율의 이해 필요)

(물음 1) 감정평가액

Ⅰ. 감정평가 개요

　1. 감정평가 방법

　　대상 토지 및 건물의 복합부동산은 감칙§7①의 개별물건기준에 따라 감정평가함.
　　토지는 감칙§12① 및 §14에 따라 공시지가기준법을 주된 방법으로 적용하고
　　건물은 감칙§12① 및 §15에 따라 원가법을 주된 방법으로 적용하였였음.

　2. 기준시점 및 기준가치

　　2025. 8. 26.(감칙§9②), 시장가치(감칙§5①)를 기준함.

Ⅱ. 개별물건 기준

　1. 토지 (공시지가기준법)

　　$1,050,000 \times 1.05295 \times 1.000 \times 0.890 \times 1.00$ ≒ 984,000원/m^2

　　　　　　시[1]　　　　　지　　　　개　　　　그

　　　　　　　　　　　　　　　　　　　　〈×1,000 ≒ 984,000,000〉

　　1) $1.0274 \times 1.0152 \times \left(1 + 0.0152 \times \dfrac{57}{91}\right)$

2. 건물 (원가법)

1) 재조달원가(간접법)

$$800,000 \times 1 \times 1.00000 \times \frac{104}{98} \times 3,000 \qquad \fallingdotseq 2,546,939,000$$

사　　　시　　　개　　　면

2) 감가수정

⑴ 물리적 감가 : $2,546,939,000 \times \dfrac{5}{50}$ $\fallingdotseq 254,694,000$

⑵ 기능적 감가 : $(2,546,939,000 - 254,694,000) \times 0.03$ $\fallingdotseq 68,767,000$

* 전체RC×0.03도 가능함

⑶ 누계 $\fallingdotseq 323,461,000$

3) 적산가액 $\fallingdotseq 2,223,478,000$

3. 감정평가액 결정

$984,000,000 + 2,223,478,000$ $\fallingdotseq 3,207,478,000$

(물음 2) 투자타당성

Ⅰ. 처리개요

할인현금흐름분석법에 의하여 투자타당성 검토한다.

Ⅱ. 투자가치

1. 1기 PGI

1) 개요
보증금 현행대로 인수함에 따라 지불임대료 전환은 전환이율 적용

2) PGI
⑴ 임대료수입
- 1층
$[100,000 \times 0.1 + (100,000 \times 1.1 - 100,000) \times 0.15 + 10,000 \times 12 \times 1.1]$
$\times 400$ $\fallingdotseq 57,400,000$

- 2층

  $[70,000 \times 0.1 + (70,000 \times 1.1 - 70,000) \times 0.15 + 7,000 \times 12 \times 1.1]$

  $\times 600$ ≒ 60,270,000

- 3~5층

  $[50,000 \times 0.1 + (50,000 \times 1.1 - 50,000) \times 0.15 + 5,000 \times 12 \times 1.1]$

  $\times 600 \times 3$ ≒ 129,150,000

  - 합계   ≒ 246,820,000

  (2) 관리비 수입 : $6,000 \times 2,800 \times 12$ ≒ 201,600,000

  (3) 합계   ≒ 448,420,000

2. 1기 NOI

$PGI \times (1 - 0.05) - 201,600,000 \times 0.83$ ≒ 258,671,000

3. 1기 BTCF

$258,671,000 - 1,200,000,000 \times 0.08$ ≒ 162,671,000

4. 기말지분복귀가치

$3,583,150,000 - 1,200,000,000$ ≒ 2 ,383,150,000

5. 지분가치

$162,671,000 \times PVAF(10\%, \ 5년) + 2,383,150,000/1.1^5$ ≒ 2,096,400,000

6. 부동산 투자가치

$2,096,400,000 + 1,200,000,000$ ≒ 3,296,400,000

Ⅲ. 투자타당성

감정평가액(시장가치) 3,207,478,000원보다 투자가치 3,296,400,000원이 큰바, 투자 타당성이 있는 것으로 판단된다. 다만, 투자가치의 산정에 있어 수익 변동에 대한 예측의 오류가능성, 기말순매도가치, 소득세 고려여부에 따라 다소 결과가 달라질 수도 있음

종합문제 **4** 타운하우스 분석 (토지, 확률분석) (20점)

문제분석

자료 분석	목차 및 논점 분석
〈자료 2〉 대상 사업부지	→ 대상물건 확정 "토지에 대한 분석(개발법 논리)"
〈자료 3〉 인근지역 내 표준지공시지가	→ 개발 前 현황 적정매입비
〈자료 4〉 개발사업자 S씨의 건축계획 분양계획 등 1. 건축계획 2. 건축비 등 제비용과 지급방법 3. 분양가 및 분양계획 〈자료 7〉 추가 고려사항	→ 개발 後 가치 : 개발계획 (개발법) → outflow 건축비 등 → intflow 분양수입 → outflow 소지매입비
〈자료 5〉 지가변동률 〈자료 6〉 격차보정자료 〈자료 8〉 기 타	

Ⅰ. 개요

의뢰인이 지정한 2025년 3월 1일을 기준으로 물음에 답함.

Ⅱ. (물음 1)

(대상, 최유효이용 : 2종 일반주거지역 내 타운하우스 부지)

1. 공시지가기준법에 의한 시산가액

용도지역(2주), 이용상황(연립)에서 유사하여 비교가능한 #2를 선정.

$$3,290,000 \times \underset{1)}{0.96677} \times \underset{지}{1.000} \times \underset{개^{2)}}{1.019} \times \underset{그}{1.00} \qquad ≒ 3,241,000/\text{m}^2$$

1) (2024.1.1.~2025.3.1. 주거)

2) $\underset{도}{1.04} \times \underset{고}{1} \times \underset{형}{0.98}$

2. 적정매입가격

지상건물 철거는 매도인 부담으로 진행 예정인바, 감정평가에 관한 규칙 §14에 의거 공시지가기준법에 의한 시산가액을 기준하여 @3,241,000/m²으로 결정함.

@3,241,000 × 900   ≒ 2,916,900,000원

III. (물음 2)

1. 〈NPV〉 Cash-Inflow. 현가

1) 일반경기 : $6,937,920,000 \times \left(\dfrac{0.8}{1.01^3} + \dfrac{0.2}{1.01^{12}} \right)$ $\fallingdotseq 6,618,512,000$

                          1)   2)

    1) 적정분양수입 : $(165 \times 4,260,000 \times 2 + 198 \times 4,580,000) \times 3$개층

    2) 의뢰인 S씨의 '기대요구수익률'을 기준으로 타당성 검토함.

2) 경기침체 : $6,937,920,000 \times 0.95 \times \left(\dfrac{0.6}{1.01^3} + \dfrac{0.4}{1.01^{12}} \right)$ $\fallingdotseq 6,177,989,000$

                                 할인

3) 소계(확률 가중) : 1) × 0.8 + 2) × 0.2 $\fallingdotseq 6,530,407,000$

2. Cash-Outflow. 현가

1) 토지매입(철거비 매도자 부담 ∴불포함)

    $3,500,000,000 \times \dfrac{1}{2} \times \left(1 + \dfrac{1}{1.01^6} \right)$ $\fallingdotseq 3,398,579,000$

2) 건축비$[1,660,000 \times (165 \times 2 + 198) \times 3] \times \dfrac{1}{3} \times \left(1 + \dfrac{1}{1.01^3} + \dfrac{1}{1.01^6} \right)$

                                                          $\fallingdotseq 2,552,867,000$

3) 기타 제비용

    $550,000,000 \times \dfrac{1}{2} \times \left(\dfrac{1}{1.01^3} + \dfrac{1}{1.01^6} \right)$ $\fallingdotseq 525,975,000$

4) 소계 : 1) + 2) + 3) $\fallingdotseq 6,477,421,000$

3. 타당성 검토

1) NPV : $6,530,407,000 - 6,477,421,000$ $\fallingdotseq 52,986,000$

2) 타당성 검토 의견 "NPV > 0"이므로 의뢰인의 기대요구수익률은 달성되어 투자타당성은 있다. 하지만 경기침체시에는 수입이 비용을 하회할 수도 있는바 투자시 경기상황에 대한 고려가 요구된다고 하겠다. (※기타 : ① 건축비 과다, ② 시장가치 대비 매입가액 비교)

종합문제 5 NPV법 / IRR법 (15점)

I. (물음 1) NPV법

1. NPV_A

$$-200,000 + \frac{45,000}{1.1} + \cdots\cdots + \frac{200,000}{1.1^{10}} \qquad\qquad ≒ 31,820,000$$

2. NPV_B

$$-200,000 + \frac{8,000}{1.1} + \cdots\cdots + \frac{270,000}{1.1^{10}} \qquad\qquad ≒ 42,061,000$$

3. 투자의사 결정

1) 투자안 검토 : 투자자금 2억원 한정으로 〈상호 배타적〉 투자안
2) 투자의사 결정 : $NPV_B > NPV_A > 0$이므로 〈B부동산에 투자함〉

II. (물음 2) IRR법

1. IRR_A

$$-200,000 + \frac{45,000}{(1+r)} + \cdots\cdots + \frac{200,000}{(1+r)^{10}} \qquad\qquad ≒0$$

if) $NPV_{12\%} ≒ 11,645$

$\quad NPV_{14\%} ≒ -5,663$

$$\therefore r ≒ 12\% + 2\% \times \frac{11,645}{11,645 + 5,663} \qquad\qquad ≒ 13.35\%$$

2. IRR_B

$$-200,000 + \frac{8,000}{(1+r)} + \cdots\cdots + \frac{270,000}{(1+r)^{10}} \qquad\qquad ≒0$$

if) $NPV_{12\%} ≒ 12,695$

$\quad NPV_{14\%} ≒ -12,141$

$$\therefore r ≒ 12\% + 2\% \times \frac{12,695}{12,695 + 12,141} \qquad\qquad ≒ 13.02\%$$

3. 투자의사 결정 (상호 배타적 투자안)

$IRR_A > IRR_B >$ 요구수익률 10%이므로 〈A부동산 투자함〉

종합문제 **6**   대안의 선택 (25점)

🔍 문제분석

자료 분석	목차 및 논점 분석
〈자료 1〉투자대안의 공부현황 및 내용 1. 대안 A 2. 대안 B 3. 공통사항(투자내용)	→ 대상물건 확정 "개량물에 대한 분석"(DCF논리) → 대안의 선택 "투자안의 성격" 규명 필요 (지분 투자액 및 가용자금 비교)
〈자료 2〉투자대안 등의 예상수익자료 1. 대안 A 2. 대안 B 3. 각종 투자대안의 이자율 등	→ 대안별 현금흐름 자료
〈자료 3〉기타자료 1. 투자안에 대한 분석은 BTCF기준으로 할 것. 2. 5년 후 부동산 매도시 관련비용은 거래가액의 5%임.	→ 기말복귀 가치 및 현금흐름 기준

I. 물음 1 : 투자안의 성격

1. 투자자 오씨의 가용자금 : 30억

2. 타인자본 : 부동산 가격의 60%

3. 투자금액 합계

$$\underset{\text{대안 A}}{100억} \times \underset{\text{자기자본}}{0.4} \times \underset{\text{지분}}{\overset{(10억)}{\frac{1}{4}}} + \underset{\text{대안 B}}{3,750백만} \times \underset{\text{자기자본}}{\overset{(15억)}{0.4}} \qquad \fallingdotseq 25억원$$

4. 검토

투자금액(25억) < 가용자금(30억)인바 대안 A, B는 각각 "상호 독립적" 투자안이다.
이하 각 대안의 투자타당성을 검토, portfolio를 구성한다.

II. 물음 2

1. 대안 A 분석

1) 매기 BTCF(지분 : 1/4)

(단위 : 천원)

	1	2	3	4	5
NOI	270,000[1]	275,400	280,908	286,526	292,257
DS[2]	223,544		– 좌동 –		
BTCF	46,456	51,856	57,364	62,982	68,713

1) NOI(1기) : 32,000 × (12 + 5 × 0.1) × (12 × 50 × 2 + 10 × 90 × 2) × 0.9 × 1/4지분
2) DS : 100억 × 0.6 × 1/4 × MC(8% 10)

2) 기말지분복귀액

$$\left[100억 \times 1.22 \times 0.95 - 100억 \times 0.6 \times \left(1 - \frac{1.08^5 - 1}{1.08^{10} - 1} \right) \right] \times \frac{1}{4} \fallingdotseq 2,004,953,000원$$

3) NPV법 (요구수익률 10%)

⑴ NPV : $-1,000,000 + \dfrac{46,456}{1.1} + \cdots + \dfrac{68,713 + 2,004,953}{1.1^5} \fallingdotseq 458,788,000$

⑵ 검토 : "NPV > 0"인바 투자의 타당성 긍정

4) IRR법

⑴ 산식 : $f(x) \fallingdotseq -1,000,000 + \dfrac{46,456}{(1+x)} + \cdots + \dfrac{68,713 + 2,004,953}{(1+x)^5} \fallingdotseq 0$

⑵ x ≒ 19%일 때 f(19%)   ≒ 10,074

⑶ x ≒ 20%일 때 f(20%)   ≒ -28,346

⑷ IRR≒0.19+0.01 $\times \dfrac{10,074}{(10,074 + 28,346)}$ 〈≒ 19.26%〉

⑸ 검토 : IRR(19.26%) > 요구수익률(10%)인 바 투자타당성 긍정

2. 대안 B 분석

1) 매기 BTCF

(단위 : 천원)

	1	2	3	4	5
NOI	521,541[1]	531,972	542,611	553,464	564,533
DS	335,316[2]		– 좌동 –		
BTCF	186,225	196,656	207,295	218,148	229,217

1) NOI(1기) : $(63,000+130,000) \times 200 \times (12+6 \times 0.1+6 \times MC(10\%\ 3)) \times 0.9$

2) DS : $3,750$백만 $\times 0.6 \times MC(8\%\ 10)$

2) 기말 지분복귀액

$$35억 \times 0.95 - 3,750,000,000 \times 0.6 \times \left[1 - \frac{1.08^5 - 1}{1.08^{10} - 1} \right] \fallingdotseq 1,986,179,000$$

3) NPV법

(1) NPV : $-1,500,000 + \dfrac{186,225}{1.1} + \cdots + \dfrac{229,217 + 1,986,179}{1.1^5} \fallingdotseq 512,149,000$

(2) 검토 : 'NPV > 0'인바 투자의 타당성 긍정

4) IRR법

(1) 산식 : $f(x) \fallingdotseq -1,500,000 + \dfrac{186,225}{1+x} + \cdots + \dfrac{229,217 + 1,986,179}{(1+x)^5} \fallingdotseq 0$

(2) $x \fallingdotseq 18\%$일 때 f(18%) $\fallingdotseq 6,107$

(3) $x \fallingdotseq 19\%$일 때 f(19%) $\fallingdotseq -44,481$

(4) IRR $\fallingdotseq 0.18 + 0.01 \times \dfrac{6,107}{(6,107 + 44,481)}$ 〈$\fallingdotseq 18.12\%$〉

(5) 검토 : IRR(18.12%) > 요구수익률(10%)인바 투자의 타당성 긍정

3. Portfolio 구성 및 기대수익률

1) 각 대안의 투자 타당성 : 대안 A, B 모두 NPV법 IRR법에 의한 투자 타당

2) 포트폴리오 구성
   (1) 대안 A : 10억
   (2) 대안 B : 15억
   (3) 나머지 기용자금 5억은 K-FUND에 투자

3) 기대수익률

$$\frac{10}{30} \times 19.26\% + \frac{15}{30} \times 18.12\% + \frac{5}{30} \times 15\% \qquad \langle \fallingdotseq 17.98\% \rangle$$

를 오씨는 기대할 수 있다.

다만 각 투자안의 상관계수, 위험에 따라 K-FUND의 구성비율을 달리할 수 있다.

Chapter
08

물건별 평가

연습문제 1 지상권이 설정된 토지 ^(10점)

I. 감정평가 개요

지상권이 설정된 토지로 "나지상정 토지가액 – 지상권가액"으로 감정평가함.
(기준시점 : 2025.8.31.)

II. 나지상정 토지가액

1. 비교표준지 선정 : 일련번호 #1 선정
2. 토지가액

$$980,000 \times 1.03585 \times 1.100 \times (1 \times 0.95 \times 1) \times 1.00 ≒ 1,061,000원/m^2$$

(시점)   (지역)   (도로교통) (형상) (지세)   그밖

$$\langle \times 250 ≒ 265,250,000 \rangle$$

주) 시점수정(2025. 1. 1~2025. 8. 31) : $1.03214 \times \left(1 + 0.00359 \times \dfrac{31}{31}\right) ≒ 1.03585$

III. 실제 지불임대료

2,500,000×12월   ≒ 30,000,000원

IV. 감정평가액 (지상권이 설정된 토지가액)

$$265,250,000 - [37,447,000 - 30,000,000] \times \frac{1 - (1.12)^{-24}}{\underset{pvaf}{0.12}} ≒ 207,280,000원$$

(2019. 8. 20~기준시점 6년 경과)

> **Tip** 감정평가실무기준 610-1-7-10 지상권이 설정된 토지
>
> ① 지상권이 설정된 토지는 지상권이 설정되지 않은 상태의 토지가액에서 해당 지상권에 따른 제한정도 등을 고려하여 감정평가한다.
> ② 저당권자가 채권확보를 위하여 설정한 지상권의 경우에는 이에 따른 제한 등을 고려하지 않고 감정평가한다.

연습문제 2　지하사용료평가 (구분지상권) (15점)

Ⅰ. 감정평가 개요

대상 구분지상권은 "토지가액 × 입체이용저해율"으로 감정평가함.
(기준시점 : 2025.8.1.)

Ⅱ. 물음(1) 토지가액

공시지가기준법〈표준지 #2 선정〉

$2,540,000 \times \underset{\text{시}^{1)}}{1.03676} \times \underset{\text{지}}{1.000} \times \underset{\text{개}}{1.000} \times \underset{\text{그밖}}{1.00} ≒ 2,630,000$원/m²

1) $1.0127 \times 1.0175 \times \left(1 + 0.0175 \times \frac{32}{91}\right)$

〈$2,630,000 \times 500 ≒ 1,315,000,000$원〉

Ⅲ. 물음(2) 입체이용저해율

1. 개요

① 대상의 최유효이용은 지하 2층 지상 15층으로 중층시가지임

② 저해층수 : 지하 2층, 지상 8층까지만 건축가능하여 지상 9~15층이 저해층수임.

2. 건물의 이용저해율 (A형)

$0.75 \times \dfrac{35 \times 7}{35 + 44 + 100 + 58 + 46 + 40 + 35 \times 11} ≒ 0.260$

3. 지하부분의 이용저해율

$0.1 \times 0.571 ≒ 0.057$

4. 그 밖의 이용저해율 (최고치)

$0.15 \times \dfrac{1}{2} ≒ 0.075$

5. 입체이용저해율 　　　≒0.392

Ⅳ. 물음(3) 구분지상권 설정 가액

$2,630,000 \times 0.392 \times 500 ≒ 515,480,000$

연습문제 3　환지예정지 (10점)

I. 감정평가 개요

① 대상 토지는 감칙§12 및 §14에 따라 공시지가기준법으로 감정평가함.

② 환지예정지로 분담금이 청산되지 아니하였으므로 작은 면적인 권리면적 400m²를 기준

③ 기준시점은 2025. 8. 31 임

II. 감정평가액 산출 근거

1. 비교표준지 선정

환지예정지인바, 환지 기준하여 이용상황(대) 동일한 표준지 2 선정

2. 감정평가액 (공시지가기준법)

$$280,000 \times 1.20018^{1)} \times 1.000 \times \frac{100}{105} \times 1.00 \qquad ≒ @320,000/m^2$$

1) (2025. 1. 1~2025. 8. 31) : $1.16242 \times (1 + 0.03248 \times \frac{31}{31}) ≒ 1.20018$

⟨×400≒128,000,000원⟩

Tip　표준지 조사·평가 기준 제33조

제33조 (환지방식에 의한 사업시행지구 안의 토지)

① 「도시개발법」 제28조부터 제49조까지에서 규정하는 환지방식에 따른 사업시행지구 안에 있는 토지는 다음과 같이 평가한다.

　1. 환지처분 이전에 환지예정지로 지정된 경우에는 청산금의 납부여부에 관계없이 환지예정지의 위치, 확정예정지번(블록·롯트), 면적, 형상, 도로접면상태와 그 성숙도 등을 고려하여 평가

　2. 환지예정지의 지정 전인 경우에는 종전 토지의 위치, 지목, 면적, 형상, 이용상황 등을 기준으로 평가

　　※ 일반평가 시 환지예정지지정을 기준으로 이전은 종전 토지상태로 이후는 환지예정지 상태 대상물건을 확정하여 감정평가한다.

　　※ 다만, 면적은 표준지 공시지가 평가는 권리의 평가가 아니므로 환지예정지지정 이후에는 환지면적 전체를 기준하지만, 일반평가 시에는 권리에 대한 감정평가이므로 권리면적을 기준한다.

연습문제 4 문화재보호구역 내 토지 (15점)

Ⅰ. 감정평가 개요

① 대상 토지는 감칙§12 및 §14에 따라 공시지가기준법으로 감정평가함.

② 문화재보호구역에 따른 층고 제한을 입체이용저해율로 고려함.

③ 기준시점은 2025. 8. 31 임

Ⅱ. 층고 제한을 받지 않는 상태의 토지가액 (공시지가기준법)

1. 비교표준지 선정 : 제2종일반주거지역 내 상업용의 기호2 선정함.

2. 공시지가 보정 : $1,500,000 \div \left(\dfrac{2}{3} + \dfrac{1}{3} \times 1.2 \right)$ ≒ 1,406,000원/m²

3. 시산가액 (제한 없는 상태)

$$1,406,000 \times \underset{\text{시}^{1)}}{1.01871} \times \underset{\text{지}}{1.000} \times (\underset{\text{개}}{\frac{100}{98}} \times \underset{\text{도}}{1} \times \underset{\text{면}}{1}) \times \underset{\text{그밖}}{1.00} ≒ 1,460,000원/m^2$$

1) 2025. 1. 1~2025. 8. 31(주거지역)

Ⅲ. 입체이용저해율

지하이용저해는 없는 것으로 한다.

$$0.75 \times \underset{\text{(건물의 이용저해율)}}{\frac{40 + 35 \times 2}{44 + 100 + 58 + 46 + 40 + 35 \times 2}} + 0.15 \times \underset{\text{(그 밖의 이용저해율)}}{\frac{3}{4}} ≒ 0.3430$$

Ⅳ. 감정평가액

$1,460,000 \times 200 \times (1 - 0.3430)$ ≒ 191,844,000원

Tip 표준지 조사 · 평가 기준 제35조

제35조(특정시설의 보호 등을 목적으로 지정된 구역 등 안의 토지)

① 「문화재보호법」 제27조에 따른 문화재보호구역 등 관계 법령에 따라 특정시설의 보호 등을 목적으로 지정된 구역 등 안에 있는 토지는 그 공법상 제한을 받는 상태대로의 가격이 형성되어 있는 경우에는 그 가격을 기준으로 평가하고, 제한을 받는 상태대로의 가격이 형성되어 있지 아니한 경우에는 그 공법상 제한을 받지 아니한 상태를 기준으로 한 가격에 그 공법상 제한정도에 따른 적정한 감가율 등을 고려하여 평가한다.

※ 문화재보호구역은 일반적 계획제한으로 제한 받는 상태대로 감정평가한다.

연습문제 5 **도입기계** (10점)

I. 감정평가 개요

본건은 공장저당법에 의한 도입기계의 담보평가로 원가법에 의하되, 감가수정은 신고일자인 2023년 8월 1일을 기준함. (기준시점 : 2025.8.27.)

II. 재조달원가

1. 도입원가 (CIF 기준가격)

¥10,501,980 × 0.9979 × 8.3228(원/¥)　　　　　　　　　≒ 87,222,000

2. 부대비용

1) 관세 · 농어촌 특별세

87,222,000 × 0.08 × (1 − 0.5) × (1 + 0.2)　　　　　≒ 4,187,000

2) 설치비 및 부대비용

87,222,000 × (0.015 + 0.03)　　　　　　　　　　　≒ 3,925,000

주) 공장저당법상 담보평가로 사업체평가임에 따라 설치비 고려함.

3) 합계　　　　　　　　　　　　　　　　　　　　　　　≒ 8,112,000

3. 재조달원가

87,222,000 + 8,112,000　　　　　　　　　　　　　　　≒ 95,334,000

III. 감가상각 및 적산가액

95,334,000 × 0.736[1]　　　　　　　　　　　　　　　　≒ 70,166,000

1) 신고일자(2023.8.1)로부터 2년 경과 : $0.1^{2/15}$

연습문제 **6** 공장 (25점)

I. 감정평가 개요

공장재단에 대한 평가는 감칙 제19조 제1항에 근거하여 개별물건기준의 물건별 감정평가액의 합산으로 결정한다. (기준시점 : 2025년 9월 1일)

II. 개별물건 기준

1. 토지 (공시지가기준법)

용도지역, 이용상황, 물적상황 등이 동일 유사한 비교표준지#1을 기준함

$$1,400,000 \times 1.08353 \times 1.000 \times 1.000 \times 1.00 \fallingdotseq 1,520,000원/m^2$$

시$^{1)}$ 지   개   그밖

$$\langle \times 1,250 \fallingdotseq 1,900,000,000원 \rangle$$

1) (2025. 1. 1~2025. 9. 1 : 공업지역)

2. 건물 (원가법)

1) 사무실용 건물

$$850,000 \times 1 \times 1.39733 \times 1.000 \times \left(0.7 \times \frac{36}{40} + 0.3 \times \frac{16}{20}\right) \times 540$$

사   시$^{1)}$ 건개   잔가율   면적

$$\fallingdotseq 557,996,000$$

1) (건축비지수)

2) 공장용 건물

$$600,000 \times 1 \times 1.39733 \times 1.000 \times \left(0.8 \times \frac{21}{25} + 0.2 \times \frac{16}{20}\right) \times 400$$

사   시   건개   잔가율   면적

$$\fallingdotseq 279,019,000$$

3) 건물가액

$$557,996,000 + 279,019,000 \fallingdotseq 837,015,000$$

3. 기계기구 (원가법)

1) 과잉유휴시설의 처리

적정기계배치대수 밀링 18대

∴ 밀링머신 2대가 과잉유휴시설이며, 잔존가치와 해체처분비용이 동일하므로 0원으로 처리함.

2) 밀링머신

$$(12,000,000 \times \underset{\text{시}^{1)}}{1.1443} + \underset{\text{설치비}^{2)}}{800,000}) \times \underset{\text{잔가율}}{0.15^{4/10}} \times 18대 \fallingdotseq 122,468,000$$

1) 2021. 1 기계가격보정지수(한국) : 1.1443
2) 사업체로서의 평가인바, 이를 고려함. (이하 동일)

4. 감정평가액 (유·무형자산의 개별물건기준 평가액 합계)

$$\underset{\text{토지}}{1,900,000,000} + \underset{\text{건물}}{837,015,000} + \underset{\text{기계}}{122,468,000} \fallingdotseq 2,859,483,000$$

Tip 감정평가실무기준 620-1 공장재단의 감정평가

1 공장재단의 감정평가

1.1 정의

공장재단이란 영업을 하기 위하여 물품 제조·가공 등의 목적에 사용하는 일단의 기업용 재산(이하 "공장"이라 한다)으로서, 「공장 및 광업재단 저당법」에 따라 소유권과 저당권의 목적이 되는 것을 말한다.

1.2 자료의 수집 및 정리

공장의 가격자료에는 다음과 같은 자료가 있으며, 대상 공장의 특성에 맞는 적절한 자료를 수집하고 정리한다.

1.3 공장의 감정평가방법

1.3.1 공장의 감정평가 원칙

① 공장을 감정평가할 때에는 공장을 구성하는 개별 물건의 감정평가액을 합산하여 감정평가하여야 한다. 다만, 계속적인 수익이 예상되는 경우 등은 [400-2.3-1]에 따라 일괄하여 감정평가할 수 있다.

② 제1항 단서에 따라 일괄하여 감정평가할 때에는 수익환원법을 적용하여야 한다.

1.3.2 토지·건물의 감정평가 : [610-1], [610-2]를 준용한다.

1.3.3 기계기구류의 감정평가 : 기계기구류의 감정평가는 [630-1]을 준용한다. 다만, 재조달원가는 기계기구류의 설치비용 등을 포함하여 산정한다.

1.3.4 구축물의 감정평가

① 구축물을 감정평가할 때에는 원가법을 적용하여야 한다.

② 구축물이 주된 물건의 부속물로 이용 중인 경우에는 주된 물건에 대한 기여도 및 상관관계 등을 고려하여 주된 물건에 포함하여 감정평가할 수 있다.

1.3.5 과잉유휴시설의 감정평가 : 과잉유휴시설의 감정평가는 [630-2]를 준용한다.

1.3.6 무형자산의 감정평가 : 무형자산의 감정평가는 [650-3], [650-4]를 준용한다.

연습문제 7   임대사례비교법 / 적산법 ^(20점)

I. 감정평가 개요

1. 감정평가 방법

임대료는 감칙§12① 및 §22에 따라 임대사례비교법을 주된 방법으로 적용하되, 감칙§12②에 따라 다른 방식(적산법)을 적용하여 주된 방법에 의한 시산가액의 합리성을 검토함.

2. 기준시점 및 기준가치

2025. 8. 31.(부터 임대료 산정기간은 1년) (감칙§9②)
시장가치(감칙§5①)를 기준함.

II. 임대사례비교법

1. 사례 실질임대료

$160,000,000 \times 0.12 + 5,500,000 \times 12$ ≒ 85,200,000원

2. 비준임대료

$85,200,000 \times 1 \times 1.01500 \times 1.000 \times 100/110 \times (102/97) \times 540/525$
       사   시   지   토·개   건·개   면

                                     ≒ 85,031,000원

III. 적산법

1. 기초가액

1) 토지가액

(1) 사례 선정 : 용도지역, 이용상황이 유사하고 정상 거래사례인 기호2 선정

(2) 사정보정 : 철거비는 매도인 부담인바 224,130,000원

(3) 토지가액 :

$$224,130,000 \times 1 \times 1.14933 \times 1.000 \times \frac{100}{98} \times \frac{1}{350} \qquad ≒ 751,000원/m^2$$
       사   시[1]   지   개   면

                                           ⟨× 300 ≒ 225,300,000원⟩

1) 2024. 12. 1~2025. 8. 31

2) 건물가액

$$200,000 \times \underset{\text{사}}{1} \times \underset{\text{시}^{1)}}{1.84348} \times \underset{\text{개}}{102/100} \times \underset{\text{면}}{594} \times \underset{\text{잔}}{1} \fallingdotseq 223,386,000원$$

1) 시점수정(2018. 7. 1~2025. 8. 31) : $\dfrac{212}{115}$

3) 기초가액

225,300,000원 + 223,386,000원   ≒448,686,000원

2. 적산임대료

448,686,000 × 0.134 + 223,386,000×0.1   ≒82,463,000원

Ⅳ. 감정평가액 결정

감칙§12① 및 §22에 의거 임대료는 임대사례비교법을 주된 방법으로 하되, 감칙§12②에 따라 다른 감정평가방법(적산법)에 의한 시산가액을 산출하였음.

임대사례비교법에 의한 시산가액은 시장성을 반영하는 유용성이 있으나 충분한 사례를 통한 가격(임료)층화의 개관성 담보가 필요하며, 적산법에 의한 시산가액은 투자자의 투자금에 대한 적정회수 등을 반영하나 지역별·물건별 적용 기대이율의 합리성 담보가 필요함.

따라서, 감칙§12③에 따라 주된 방법에 따른 임대사례비교법에 의한 시산가액을 기준하되, 다른 방법으로 산출한 시산가액을 참작하여 임대료는 84,000,000원으로 결정함.

연습문제 8 실무상 적산법 (15점)

I. 감정평가 개요

1. 감정평가방법

감칙§12① 및 §22 에 의거 임대료는 임대사례비교법을 주된 방법으로 하나, 감칙§12① 단서에 따라 토지의 임대사례의 포착이 어려운 등 사유로 주된 방법을 적용하는 것이 곤란하거나 부적절한 경우에 해당하여 적산법을 적용하여 감정평가하였음.

2. 기준시점 (산정기간) : 2025. 8. 27.부터 1년

II. 기초가액

1. 비교표준지 선정

이용상황(업무용), 도로교통(광대소각) 등이 유사한 〈표#3〉 선정(#1 : 도로조건상이, #2 : 이용상황, 면적 등 규모 측면 상이하여 배제)

(최유효이용 전제 : 시장가치가 아닌 기초가액으로 산정하였을 경우에 기대이율을 은행이자율 등을 고려한 조성법으로 산정하여야 하나, 순수이율 및 위험률 산정자료가 제시되지 아니하여 실무상 적산법을 적용, 시장가치로 산정)

2. 기초가액

$$1,400,000 \times \underset{시^{1)}}{1.01210} \times \underset{지}{1.000} \times \underset{개}{(\frac{100}{110} \times 1.047)} \times \underset{행정^{2)}}{1.00} \quad \underset{그밖}{} \qquad ≒ 1,350,000원/m^2$$

1) $1.01200 \times \left(1 + 0.00005 \times \frac{58}{30}\right)$

2) $\dfrac{1}{0.7 + 0.3 \times 0.85}$

III. 기대이율

기초가액을 인근지역의 최유효이용을 기준으로 시장가치를 산정하였는바, 기대이율은 현재의 임시적 이용을 고려하여 상업용지 중 업무·판매시설의 임시적 이용의 5%를 적용함.

IV. 토지 임대료 감정평가액

$$1,350,000 \times 600 \times (0.05 + 0.003) \qquad\qquad ≒ 42,930,000원$$

연습문제 **9**　구분건물 임대료 (적산법) 1 ^(15점)

Ⅰ. 감정평가 개요

1. 감정평가방법

감칙§12① 및 §22 에 의거 임대료는 임대사례비교법을 주된 방법으로 하나, 감칙§12① 단서에 따라 토지의 임대사례의 포착이 어려운 등 사유로 주된 방법을 적용하는 것이 곤란하거나 부적절한 경우에 해당하여 적산법을 적용하여 감정평가하였음.

2. 기준시점 (산정기간) : 2025. 9. 1.부터 1년

Ⅱ. 대상의 1동의 전체가액

1. 대상 전체의 토지가액 (용도지역 등 고려하여 기호2 선정)

$$1,200,000 \times 1.05210 \times \frac{105}{95} \times 1.000 \times 1.00 \qquad ≒ 1,400,000원/m^2$$

$$\text{시}^{1)} \qquad\quad \text{지} \qquad \text{개} \qquad \text{그} \qquad \langle \times 200 ≒ 280,000,000원 \rangle$$

1) (2025. 1. 1~2025. 9. 1 : 주거지역) $1.045 \times \left(1 + 0.045 \times \frac{32}{212}\right) ≒ 1.05210$

2. 대상 전체의 건물가액

1) 단가 : $y ≒ 223,390 - 6429.4 \times 3$ 　　　　　　　　　　　 ≒ 204,102원/m²
2) 총액 : $204,102 \times 600$ 　　　　　　　　　　　　　　　 ≒ 122,461,000원

3. 대상부동산의 전체가액

$280,000,000 + 122,461,000$ 　　　　　　　　　　　　 ≒ 402,461,000원

Ⅲ. 2층의 기초가액

1. 층별효용비율

층	전유면적	층별효용비	적수	층별효용비율
3	120	38.26	4,591.2	
2	120	47.86	5,743.2	0.2824
1	100	100	10,000.0	
계	340		20,334.4	1

※ 적수는 층별효용비×전유면적을 한 것임. 층별효용비율은 각층 적수 ÷ 총 적수합

2. 2층 기초가액 : 402,461,000×0.2824 　　　　　　　　≒ 113,655,000원

Ⅳ. 적산법에 의한 임대료

113,655,000 × 0.121 + 150,000 　　　　　　　　≒ 13,902,000(77,233원/임대 m^2)

연습문제 10 구분건물 임대료 (적산법) 2 ^(15점)

I. 감정평가 개요

감칙§12① 및 §22 에 의거 임대료는 임대사례비교법을 주된 방법으로 하나, 감칙§12① 단서에
따라 토지의 임대사례의 포착이 어려운 등 사유로 주된 방법을 적용하는 것이 곤란하거나 부적절한
경우에 해당하여 적산법을 적용하여 감정평가하였음.
(기준시점(산정기간) : 2025. 8. 1부터 1년)

II. 적산법

1. 전체부동산의 기초가액

$$11,000,000 \times 798 + 2,950,000 \times \underset{\text{임대면적}^{1)}}{2,792} \qquad ≒ 17,014,400,000$$

1) 연면적과 동일하다고 간주

2. 4층 부분의 기초가액

$$17,014,400,000 \times \frac{180 \times 50}{240 \times 55 + 200 \times 100 + 180 \times (60 + 55 + 50) + 200 \times 46 + 160 \times 44}^{1)}$$

1) 전체효용적수(상기 식의 분모부분 값) : 79,140

$$≒ 1,934,920,000$$

3. 5층부분의 기초가액

1) 회의실

$$17,014,400,000 \times \frac{200 \times 46}{79,140} \times \frac{90 \times 120}{100 \times 80 + 90 \times 120} \qquad ≒ 1,136,251,000$$

2) 사무실

$$17,014,400,000 \times \frac{200 \times 46}{79,140} \times \frac{100 \times 80}{100 \times 80 + 90 \times 120} \qquad ≒ 841,668,000$$

4. 적산임대료

- 4층 : $1,934,920,000 \times 0.05 \times 1.09$ ≒ 105,453,000
- 5층(회의실) : $1,136,251,000 \times 0.05 \times 1.09$ ≒ 61,926,000
- 5층(사무실) : $841,668,000 \times 0.05 \times 1.09$ ≒ 45,871,000

연습문제 **11** 시점별 기초가액 ^(20점)

🔍 **문제분석**

자료 분석	목차 및 논점 분석
〈자료 1〉 감정평가 의뢰내역 　　2023년 1월 17일 및 2024년 1월 1일 기준 기초가액	→ 대상물건 확정 → 기산 기준시점 별 대상물건 확정 필요 1. 2023. 1. 17 기준 기초가액
〈자료 2〉 현장조사자료	2. 2024.1.1 기준 기초가액
〈자료 3〉 일반건축물대장상 내용	(대상물건의 변동 사항 쟁점 파악)
〈자료 4〉 인근지역 지적개황도	→ 비교표준지 선정 자료
〈자료 5〉 표준지 공시지가 　　1. 2023년도 　　2. 2024년도　3. 2025년도	→ 공시지가기준법 (기준시점별 적용공시지가 선택) (공시기준일 별 표준지의 특성 변동 파악)
〈자료 6〉 건물신축단가표	→ 건물 원가법(시점별 차이 검토)
〈자료 7〉 부대설비 보정 단가	
〈자료 11〉 지역 내 적정지가수준 등에 대한 검토	→ 그 밖의 요인 보정치, 건물 재조달 개별요인
〈자료 8〉 생산자물가지수	
〈자료 9〉 지가변동률(S시 Y구)	→ 공통활용 (비교가능성 파악)
〈자료 10〉 토지개별요인	→ 토지특성 확인 중점
〈자료 12〉 기타사항	

I. 2023. 1. 17 기준 기초가액

1. 토지

2종일주. 상업용으로 동일로변에 위치한 〈1005-5 : 2023公〉 선정

$$3,050,000 \times \underset{시^{1)}}{1.00176} \times \underset{지}{1.000} \times \underset{개^{2)}}{1.000} \times \underset{그밖}{1.30} \qquad ≒ @3,970,000/m^2$$

$$\langle \times 340m^2 ≒ 1,349,800,000원 \rangle$$

1) 2023.1.1.~2023.1.17. : $1 + 0.03770 \times \dfrac{17}{365}$

2) 표준지 $\begin{bmatrix} 인접\ 1005\text{-}4와\ 일단지\ \therefore\ 가장형 \\ 후면에\ 이면도로\ 有\ \therefore\ 중로각지 \end{bmatrix}$ $\underset{도}{\dfrac{100}{100}} \times \underset{형}{\dfrac{102}{102}} \times \underset{세}{\dfrac{116}{116}}$

2. 건물

1) 재조달원가

(1) 표준단가 : @775,000m²

(2) 부대설비 보정단가 : @150,000원/m²

(3) 사례 단가 : (1) + (2) ≒ 925,000원/m²

(4) 대상 재조달원가 : (3) × 0.98433 × 0.96 ≒ @874,000원/m²
  시[1] 개

1) PPI ≒ $\frac{100.5}{102.1}$

2) 단가

(1) 지상 : 1) × 43/50 ≒ @752,000원/m²

(2) 지하 : 1) × 0.5 × 43/50 ≒ @376,000원/m²

3) 건물가액

752,000 × 1,110 + 376,000 × 290 ≒ 943,760,000원

3. 기초가액

(1,350,480,00 + 943,760,000) ≒ 2,294,240,000원
  토   건

II. 2024.1.1. 기준 기초가액

1. 토지

2종일주 · 상업용인 〈1005-5 : 2024.〉 선정(동일로변 위치)

3,150,000 × 1.00006 × 1.000 × 1.030 × 1.30 ≒ @4,218,000/m²
  시   지   개[1]   그밖

〈×340m² ≒ 1,434,120,000원〉

1) 표준지〈전년과 달리 일단지가 아님 ∴ 세장형〉 $\frac{100}{100}$ × $\frac{102}{99}$ × $\frac{116}{116}$
  도   형   세

2. 건물

1) 단가

(1) 지상 : $(880,000 + 150,000) \times 1.00970 \times 0.96 \times \dfrac{42}{50}$ ≒ @839,000원/m²

시[1]

1) PPI : $\dfrac{104.1}{103.1}$

(2) 지하 : (1) × 0.5   ≒ @420,000원/m²

2) 건물가액

839,000 × 1,110 + 420,000 × 290   ≒ 1,053,090,000

3. 기초가액

(1,434,120,000 + 1,053,090,000)   ≒ 2,487,210,000원

  토   건

연습문제 **12** 영업권 (10점)

Ⅰ. 감정평가 개요

대상 영업권은 감칙 제23조 제3항에 의하되, 초과수익환원법 적용한다(기준시점 2025. 12. 31).

Ⅱ. 초과수익산정

1. 영업이익

$$6,861,000,000 - 2,900,000,000 - 1,157,000,000 \fallingdotseq 2,804,000,000원$$
매출 　　　　　 매출원가 　　　　　 판관비

2. 정상영업이익

1) 순자산가치 　　　　　　　　　　　　　　　　　　　 6,204,000,000원

2) 정상영업이익 : 6,204,000,000 × 0.1 　　　　　 $\fallingdotseq$ 620,400,000원

3. 초과수익 : 2,804,000,000 - 620,400,000 　　　 $\fallingdotseq$ 2,183,600,000원

Ⅲ. 감정평가액

$$2,183,600,000 \times PVAF(9\%, 3년)(\frac{1 - 1.09^{-3}}{0.09}) \qquad \fallingdotseq 5,527,000,000원$$

> **Tip** 영업권 감정평가 근거 규정

감정평가에 관한 규칙 제23조(무형자산의 감정평가)
③ 감정평가업자는 영업권, 특허권, 실용신안권, 디자인권, 상표권, 저작권, 전용측선이용권, 그 밖의 무형자산을 감정평가할 때에 수익환원법을 적용하여야 한다.

감정평가실무기준 650-3.3 영업권의 감정평가방법
3.3.1 영업권의 감정평가 원칙
① 영업권을 감정평가할 때에는 수익환원법을 적용하여야 한다.
② 제1항에도 불구하고 수익환원법으로 감정평가하는 것이 곤란하거나 적절하지 아니한 경우에는 거래사례비교법이나 원가법으로 감정평가할 수 있다.

3.3.2 수익환원법의 적용
영업권을 수익환원법으로 감정평가할 때에는 다음 각 호의 어느 하나에 해당하는 방법으로 감정평가한다. 다만, 대상 영업권의 수익에 근거하여 합리적으로 감정평가할 수 있는 다른 방법이 있는 경우에는 그에 따라 감정평가할 수 있다.
1. 대상기업의 영업관련 기업가치에서 영업투하자본을 차감하는 방법
　　가. 영업관련 기업가치 : [660-3.3.2]를 준용하여 산정. 단, 비영업용자산은 제외
　　나. 영업투하자본 : 영업자산에서 영업부채를 차감하여 산정
2. 대상 기업이 달성할 것으로 예상되는 지속가능기간의 초과수익을 현재가치로 할인하거나 환원하는 방법

연습문제 **13** 광산 / 광업권 ^(10점)

I. 감정평가 개요

감칙 §19②에 의한 광산 및 감칙§23①에 의한 광업권을 평가함. 기준시점 현재.

II. 광산평가액 (감칙§19②)

  1. 광산의 수익가액

    1) 상각전 순수익

      ⑴ 매출액 : $5,000 \times 50,000 \times 12$ ≒ 3,000,000,000

      ⑵ 소요경비

        $500,000,000 + 350,000,000 + 3,000,000,000 \times 0.1 + 150,000,000$

                                   ≒ 1,300,000,000

      ⑶ 상각전 순수익 : ⑴ - ⑵   ≒ 1,700,000,000

    2) 환원율

$$R ≒ 0.16 + SFF(10\%, 12년)(\frac{0.1}{1.1^{12} - 1}) ≒ 0.2068$$

    주) 가행년수 : $(5,500,000 \times 0.7 + 8,000,000 \times 0.42) \div (50,000 \times 12) ≒ 12년$

    3) 수익가액

$$1,700,000,000 \times \frac{1}{0.2068} ≒ 8,220,503,000$$

  2. 광산평가액 : $8,220,503,000 - 1,450,000,000$ ≒ 6,770,000,000

III. 광업권 (감칙§23①)

  $6,770,000,000 - 3,300,000,000$ ≒ 3,470,000,000

> **Tip** 광업권 감정평가 근거 규정
>
> **감정평가에 관한 규칙 제23조(무형자산의 감정평가)**
> ① 감정평가업자는 광업권을 감정평가할 때에 제19조제2항에 따른 광업재단의 감정평가액에서 해당 광산의 현존시설 가액을 빼고 감정평가하여야 한다. 이 경우 광산의 현존시설 가액은 적정 생산규모와 가행조건 (稼行條件) 등을 고려하여 산정하되 과잉유휴시설을 포함하여 산정하지 아니한다.
> **감정평가실무기준 650-1.3 광업권의 감정평가방법**
> ① 광업권은 [620-2.3]에 따른 광산의 감정평가액에서 해당 광산의 현존시설의 가액을 빼고 감정평가하여야 한다.
> ② 현존시설의 가액은 적정 생산규모와 가행조건 등을 고려하되, 과잉유휴시설은 포함하지 아니한다.
> ③ 광업권의 존속기간은 20년을 초과하지 아니하는 범위에서 광상, 연장가능 여부 등을 고려하여 광업이 가능한 연한으로 결정한다.

연습문제 14 비상장주식 1 (10점)

Ⅰ. 감정평가 개요

본건은 비상장주식의 평가로서 기준시점을 2025년 12월 31일로 하는 시장가치를 산정한다. 방법은 자기자본의 가치를 산정한 후 이를 발행주식수로 나누어서 주식의 단가를 산정 후 의뢰주식수를 곱하여 결정한다. (감칙 제24조 제1항 제2호)

Ⅱ. 기업 총 가치

60억 + 361,000,000   ≒ 6,361,000,000원

Ⅲ. 자기자본 가치

6,361,000,000 - 2,961,000,000(이자부부채)   ≒ 3,400,000,000원

Ⅳ. 비상장주식가치

$3,400,000,000 \times \dfrac{300,000}{400,000}$ ≒ 2,550,000,000원

〈주당가치 : 8,500원/주〉

Tip 비상장주식 감정평가 근거 규정

감정평가에 관한 규칙 제24조(유가증권의 감정평가)
① 감정평가업자는 주식을 감정평가할 때에 다음 각 호의 구분에 따라야 한다.
1. 상장주식[「자본시장과 금융투자업에 관한 법률」 제373조의2에 따라 허가를 받은 거래소(이하 "거래소"라 한다)에서 거래가 이루어지는 등 시세가 형성된 주식으로 한정한다] : 거래사례비교법을 적용할 것
2. 비상장주식(상장주식으로서 거래소에서 거래가 이루어지지 아니하는 등 형성된 시세가 없는 주식을 포함한다) : 해당 회사의 자산·부채 및 자본 항목을 평가하여 수정재무상태표를 작성한 후 기업체의 유·무형의 자산가치(이하 "기업가치"라 한다)에서 부채의 가치를 빼고 산정한 자기자본의 가치를 발행주식 수로 나눌 것

감정평가실무기준 660-1.2.3 비상장주식의 감정평가방법
① 비상장주식은 기업가치에서 부채의 가치를 빼고 산정한 자기자본의 가치를 발행주식수로 나누어 감정평가 한다. 다만, 비슷한 주식의 거래가격이나 시세 또는 시장배수 등을 기준으로 감정평가할 때에는 비상장주식의 주당가치를 직접 산정할 수 있다.
② 제1항의 기업가치를 감정평가할 때에는 [660-3]을 따른다.

연습문제 **15** 비상장주식 2 (15점)

Ⅰ. 감정평가 개요

감정평가에관한규칙 제24조 제1항 제2호에 의거하여 당해 회사의 자기자본의 가치를 발행주식수로 나눠 비상장주식 가격을 평가한다. (기준시점 2025.12.31.)

Ⅱ. 자기자본의 가치

1. 총자산 평가액

1) 건물

$$500,000 \times \frac{145}{100} \times \left(1 - 0.9 \times \frac{5}{50}\right) \times 1,800 \fallingdotseq 1,187,550,000$$

시   잔

2) 기계

$$3,800,000,000 \times 0.1^{5/15} \fallingdotseq 1,763,200,000$$

3) 총자산

$$550,000,000 + 130,000,000 + 500,000,000 + 800,000,000 + 200,000,000$$

현·예   유·증   외·매   받·어   재고

$$+ (50,000,000 + 20,000,000) + 50,000,000 + 1,260,000,000$$

선·비   선·보   부·어   토지

$$+ 1,187,550,000 + 1,763,200,000 \fallingdotseq 6,510,750,000$$

건물   기계

2. 총부채

$$400,000,000 + 600,000,000 + (150,000,000 + 30,000,000) + 2,000,000,000$$

외·매   지·어   미·비   미·이   단·차

$$+ 26,000,000 + 200,000,000 \fallingdotseq 3,406,000,000$$

대·충   퇴·충

3. 순자산

$$6,510,750,000 - 3,406,000,000 \fallingdotseq 3,104,750,000$$

Ⅲ. 1주당 가격

$$3,104,750,000 \div 300,000 \fallingdotseq 10,349원/주$$

연습문제 **16** 기업가치 1 (20점)

Ⅰ. 물음 1 (FCFF의 산정)

2026년도의 FCFF의 추정   (단위 : 만원)

① 예상영업이익 : (1,000,000 - 550,000) × 1.05   ≒ 472,500

② 세후영업이익 : 472,500 × (1 - 0.36)   ≒ 302,400

③ 감가상각비 : 110,000 × 1.05   ≒ 115,500

④ 자본적 지출 : 120,000 × 1.05   ≒ 126,000

⑤ 추가운전자본   ≒ 1,750

⑥ FCFF : ② + ③ - ④ - ⑤   ≒ 290,150

Ⅱ. 물음 2 (WACC의 산정)

1. 자기자본비용

0.08 + (0.14 - 0.08) × 1.5[1]   ≒ 0.17

  1) 체계적 위험도(β)

2. 타인자본비용

0.1269 × (1 - 0.36)[1]   ≒ 0.0812

  1) 세후로 조정

3. 가중평균자본비용

0.43[1] × 0.17 + 0.57 × 0.0812   ≒ 0.1194

  1) 자기자본비율

Ⅲ. 물음 3 (기업가치)

290,150만원 ÷ 0.1194   ≒ 2,430,067만원

Tip 기업가치 감정평가 근거 규정

감정평가에 관한 규칙 제24조(유가증권의 감정평가)
③ 감정평가업자는 기업가치를 감정평가할 때에 수익환원법을 적용하여야 한다.

감정평가실무기준 660-3.3.1 기업가치의 감정평가방법
① 기업가치를 감정평가할 때에는 수익환원법을 적용하여야 한다.
② 제1항에도 불구하고 기업가치를 감정평가할 때에 수익환원법을 적용하는 것이 곤란하거나 적절하지 아니한 경우에는 원가법·거래사례비교법 등 다른 방법으로 감정평가할 수 있다.

감정평가실무기준 660-3.3.2 수익환원법의 적용
기업가치를 수익환원법으로 감정평가할 경우에는 할인현금흐름분석법, 직접환원법, 옵션평가모형 등으로 감정평가한다.

연습문제 17 기업가치 2 (20점)

I. 감정평가 개요

본건은 오피스빌딩 운영 기업에 관한 감정평가로 감칙 제24조제3항 기준으로 감정평가하며, 기준시점은(2025. 1. 1)임.

II. 기업가치

1. WACC

1) CAPM : $8 + (13.625 - 8) \times 0.8$ ≒ 12.5%
2) WACC : $0.5633 \times 12.5 + 0.2367 \times 8.25 \times (1 - 0.42) + 0.2 \times 10$ ≒ 10.18%

2. FCFF

(단위 : 천원)

	2025	2026	2027	2028	2029	2030
공실률	30%	20%	10%		- 좌동 -	
유효임대수입	330,750[1]	396,900	468,838	492,280	516,894	532,401
-고정경비	30,900	31,827	⋯		34,778	35,822
-가변경비	66,150[2]	79,380	⋯		103,379	106,480
-재산세	30,000[3]	30,900	⋯		33,765	34,778
영업이익	203,700	254,793	⋯		344,972	355,321
-세금(42%)	85,554	107,013	⋯		144,888	149,235
세후 영업이익	118,146	147,780	⋯		200,084	206,086
자본적 지출	300,000					
FCFF	-181,854	147,780	180,068	189,820	200,084	206,086

1) 유효임대수입 : $30,000 \times 0.7 \times 15,000m^2 \times 1.05$ 2) 변동경비 : 유효임대료의 20%
3) 재산세는 대상오피스빌딩 귀속인바 반영

3. 기업가치

$$\left(\Sigma \frac{FCFFn}{1 + WACC} + \frac{기말부동산가치}{(1 + WACC)^5} \right)$$

$$\left(\frac{-181,854}{1.1018} + \cdots + \frac{200,084 + 2,870,279^{1)}}{1.1018^5} \right)$$ ≒ 2,111,044,000원

1) 2029년말 기준 빌딩가치 : $206,086 \div (0.1018 - 0.03)$ ≒ 2,870,279,0000

연습문제 **18** 기업가치 3 (25점)

Ⅰ. 감정평가 개요

본건은 매수가격정보 제공 목적의 기업가치 및 영업권에 대한 평가건임
(기준시점 : 의뢰인 제시 2025.1.1.)

Ⅱ. S상사의 기업가치

1. FCFF 산정

1) 고속성장기

(단위 : 백만원)

항목	2025. 1기	2026. 2기	2027. 3기	2028. 4기	2029. 5기
영업이익	56,469	73,410	95,433	128,835	173,928
－법인세	12,423[1]	16,150	20,995	28,344	38,264
＋dep	35[2]	37	39	41	43
－자본적 지출	40[3]	40	40	40	40
－운전자본증가	528	687	893	1,354	1,828
FCFF	43,513	56,570	73,544	99,138	133,839

1) 법인세율 ≒ 20% × 1.1 ≒ 22%

2) 33 + 2(이후 2증가)

3) 2 × 20

2) 안정성장기(FCFF6기) : 133,839 × 1.35   ≒ 180,683백만원

2. WACC

1) 자기자본비용(CAPM)

$Ke ≒ 0.034 + (0.12 - 0.034) × 0.8$[1]   ≒ 10.28%

1) β계수

2) 타인자본비용(세후) : $Kd ≒ 0.07 × (1 - 0.22)$ ≒ 5.46%

3) WACC : $0.5 × 0.1028 + 0.5 × 0.0546$ ≒ 0.0787

3. 영업가치의 산정

1) 고속성장단계 : $\dfrac{43,513}{1.0787} + \dfrac{56,570}{1.0787^2} + \dfrac{73,544}{1.0787^3} + \dfrac{99,138}{1.0787^4} + \dfrac{133,839}{1.0787^5}$

$$\fallingdotseq 312,408,000,000$$

2) 안정성장단계 : $\dfrac{180,683}{(0.0787 - 0.03)} \times \dfrac{1}{1.0787^5}$ $\qquad \fallingdotseq 2,540,300,000,000$

3) 영업가치 : 1) + 2) $\qquad \fallingdotseq 2,852,708,000,000$

4. 기업가치 ($\fallingdotseq$영업가치 + 비영업가치)

2,852,708백만원 + 69,529백만원 $\qquad \fallingdotseq 2,922,237$백만원

Tip 기업가치의 구조

기업가치 (Company Value)	영업가치 (Operating Value)	순운전자본 (유동자산 – 유동부채)	자기자본
		비유동자산 中 영업용자산(무형자산 포함)	타인자본
	비영업용자산 가치		

* 영업가치는 FCFF 현가합, 무이자부부채를 제외한 가치

연습문제 19 권리금 평가 (10점)

I. 시설권리금 : 원가법

$$600,000 \underset{(1.313)}{\times} 147/112 \times 5/10 = 394,000원$$

$$\langle \times 120 = 47,280,000원 \rangle$$

II. 영업권리금

1. 영업권리금 귀속 순영업이익 :

$$(23,000,000 - 19,000,000) \times 0.5 = 2,000,000원$$

2. 영업권리금

$$2,000,000 \div 0.2 = 8,000,000원$$

III. 바닥 권리금

대상 사업체가 속한 상권의 일반적 권리금 거래 관행상 바닥권리금 없음.

IV. 권리금

$$I + II + III = 55,280,000원$$

연습문제 20 오염부동산 (15점)

I. 감정평가 개요

1. 감정평가 방법

대상 토지 및 건물의 복합부동산은 감칙§7①의 개별물건기준에 따라 감정평가함.

오염에 따른 가치하락분은 감칙§25에 따라 소음등이 발생하기 전의 대상물건의 가액 및 원상회복비용 등을 고려하여 감정평가함.

2. 기준시점 및 기준가치

2025. 7. 1.(감칙§9②), 시장가치(감칙§5①)를 기준함.

II. (물음 1) 오염 전 토지가액

1. **사례** : 오염 전 토지 거래사례

2. **시점수정치** : 사례가 소재하는 C구 공업지역 지가변동률 기준 〈1.08133〉

3. **지역요인 비교치** : 100/115 ≒ 0.870

4. **개별요인 비교치** : 100/135 ≒ 0.741

5. **감정평가액** :

$4,666,000 \times 1.08133 \times 0.870 \times 0.741$ ≒ @3,252,000원/㎡

(×9,999㎡ ≒ 32,516,000,000원)

III. (물음 2) 오염 후 토지가액

1. 오염 전 토지 가격 : (물음 1) 토지가액 기준   32,516,000,000원

2. 가치 하락 분

1) 조사비용 : 1,000,000 × 2,000 ≒ 2,000,000,000원

2) 정화비용 : $600,000 \times 2,000 \times PVAF(6\%, 3년)(\frac{1 - 1.06^{-3}}{0.06})$ ≒ 3,207,000,000원

3) 합계 1) + 2) ≒ 5,207,000,000원

3. 스티그마

32,516,000,000 × 0.25 ≒ 8,129,000,000원

4. 감정평가액 결정 : [1. - 2. - 3.] ≒ 19,180,000,000원

* 정신적 손신은 가치하락으로 보지 않음.

연습문제 21 일조권 (15점)

Ⅰ. 감정평가 개요

대상은 일조권 침해에 따른 경제적 가치 감소액은 감칙§25에 따라 감정평가함.
(기준시점 : 2025. 8. 31)

Ⅱ. 일조권 침해에 따른 침해 보정률

1. 일조침해 등에 대한 〈判例〉 등

일조침해 등에 관하여 건축법 제61조 및 서울시 건축조례가 있으며, 특히 〈判例〉는 동지일 기준 오전 8시에서 오후 4시 사이에 총 4시간 이상 또는 오전 9시에서 오후 3시 사이에 연속하여 2시간 이상 일조시간이 확보된 경우 수인한도를 넘지 않는다고 보았다.

2. 대상부동산 일조침해 여부

연속 2시간 이상 일조가 확보되지 아니한 바, 총 4시간 기준한 수인한도를 고려할 때, 일조시간 예측 결과 3시간 7분이므로 〈53분〉간의 일조침해가 나타나는 것으로 볼 수 있다.

3. 일조침해 가치하락 보정률 (Hedonic Price Method)

1) 회귀식

$y \fallingdotseq ax+b$(x : 일조침해시간(분)

y : 부동산 가치 a : 분당 가치하락분,   b : 침해 없는 부동산 가치)

2) 매매사례 표본 검토

일조 침해 없는 사례인 〈사례 #1, 2, 6, 10〉 제외함.

3) 회귀분석

(1) Σx : 180 + ⋯⋯ + 160   ≒ 740

(2) Σy : 213,300,000 + ⋯⋯ + 214,000,000   ≒ 1,292,310,000

(3) Σxy : 180 × 213,300,000 + ⋯⋯ + 160 × 214,000,000   ≒ 158,410,000,000

(4) Σx^2 : 180^2 + ⋯⋯ + 160^2 ≒ 117,400

4) 회귀식 도출

(1) $a = \dfrac{n\Sigma xy - \Sigma x \Sigma y}{n\Sigma x^2 - (\Sigma x)^2}$ ≒ -37,232

(2) $b = \overline{y} - a\overline{x}$ ≒ 219,977,000

(3) $y = -37,232x + 219,977,000$ (r ≒ 99% 신뢰도 있음)

5) 보정률

$$\frac{37,232}{219,977,000} \times 53분 \fallingdotseq 0.00897(0.897\%)$$

4. 경제적 가치 감소에 따른 침해 보정률

과학화·객관화 평가기법인 Hedonic Price Method를 적용한 보정률에 의한 방법이 무형의 가치를 계량화하는 신뢰성 있는 방법으로 인정되므로 이를 중시하여 "0.897%"로 결정함.

Chapter

09

목적별 평가

연습문제 1　담보평가 (토지) (10점)

I. 감정평가 개요

1. 기준시점 : 2024.3.31.

2. 대상물건의 확정

현황도로(50m^2 : 가치형성이 곤란), 잔여부분(10m^2 : 단독 효용성 희박)은 감정평가외.

II. 공시지가기준법

1. 비교표준지의 선정

용도지역이 동일하고 이용상황이 유사한 공시지가 기호2를 비교표준지로 선정한다.

2. 시산가액 (단가)

$$18,000 \times 1.00000 \times 1.000 \times \frac{100}{90} \times 1.00 \qquad ≒ 20,000원/m^2$$
$$\quad\ \ 시^{1)} \qquad\qquad\ \ 지 \qquad\quad\ \ 개 \qquad\ 그 밖$$

1) 시점수정(2024. 1. 1~2024. 3. 31 : 녹지) 용도지역이 미지정이므로 녹지지역 지가변동률을 적용함.

III. 거래사례비교법

1. 거래사례의 선정

위치 및 물적 유사성이 있으며 시점수정과 사정보정이 가능한 거래사례 기호1을 선정한다.

2. 시산가액 (단가)

$$12,000,000 \times \frac{100}{121} \times 1.00000 \times 1.000 \times \frac{100}{90} \times \frac{1}{500} \qquad ≒ 22,000원/m^2$$
$$\qquad\qquad\qquad 사 \qquad\quad\ \ 시 \qquad\qquad\ \ 지 \qquad\quad\ \ 개 \qquad\ \ 면$$

IV. 감정평가액 결정

감칙§12 및 §14에 따라 공시지가기준법을 주된 방법으로 하되, 거래사례비교법에 의한 시산가액 (비준가액)으로 합리성을 검토하였음. 비준가액은 사정보정이 있었다는 점과 평가목적이 담보평가임을 감안하여 채권회수의 안정성 등을 고려할 때 주된 방법에 따른 시산가액의 합리성이 인정되어 공시지가기준가액으로 감정평가가액을 결정함.

$$20,000 \times (360 - 50 - 10) \qquad\qquad ≒ 6,000,000원$$
$$\qquad\qquad\quad 도로 \quad\ \ 잔여$$

연습문제 **2** 담보평가 (복합부동산) (25점)

🔍 문제분석

자료 분석	목차 및 논점 분석
〈자료 1〉 감정평가의 기본적 사항 〈자료 2〉 실지조사결과 확인내용	→ 대상물건 확정 → 사용승인일, 시설녹지, 물적 불일치(건물 면적)
〈자료 10〉 평가대상 부동산의 공부 〈자료 3〉 인근의 공시지가 표준지 현황 〈자료 7〉 그 밖의 요인자료 〈자료 8〉 건물 표준단가(기준시점 현재) 〈자료 9〉 건물 부대설비 보정단가(기준시점 현재)	→ 대상물건 확정, (지적도) 비교표준지 선정 기준 → 공시지가 기준법(지가수준 검토 등) → 건물 원가법
〈자료 4〉 지가변동률 〈자료 5〉 토지에 대한 지역요인 평점 〈자료 6〉 토지에 대한 개별요인 평점	→ 공시지가 기준법

I. 감정평가 개요

1. 감정평가 목적

본건은 A시 B구 C동 소재하는 부동산에 대한 담보목적의 감정평가임.

2. 기준시점 : 현장조사 완료일 2025. 8. 25 (감칙§9②)

3. 감정평가방법

토지는 감칙§12 및 §14에 따라 공시지가기준법을, 건물은 감칙§12 및 §15에 따라 원가법을 주된방법으로 적용하되, 다른 방식의 적용은 불합리한 등 사유로 제외함.

4. 그 밖의 사항

1) 토지

⑴ 제1종일반주거지역 내 주상용 토지로 남측은 시설녹지(3m 높이의 조경수목 밀식)에 접하는바, 도로접면은 소로한면으로 판단, 토지면적은 215.8m².

⑵ 상가지대로 가로의 연속성 및 계통성 측면에서 인구의 통행량 및 접근성 등이 가치에 영향을 미친다고 판단, 표준지등 선정시 가로의 동일성에 유의

2) 건물

⑴ 건축시점 : 건물등기부등본상 소유권보존등기일(2013. 2. 14)에 불구하고 건축물대장상 사용승인일자(2012. 12. 26) 기준함.

(2) 3층 면적 확정 : 건축물대장상 107.48m²임에도 불구하고 담보평가의 안정성 등을 고려하여 현황인 실제 60m² 기준함.

II. 토지가액

1. 비교표준지 선정

이용상황(주·상 복합용지), 도로교통(동일 노선 소재) 등에서 가장 유사한 #2 선정함.
(단, #1, #3은 도로교통, #4는 이용상황 등에서 비교가능성이 떨어져 제외함)

2. 그 밖의 요인 검토

담보평가인 점과 인근의 지가수준(2,150,000원/m²~2,250,000원/m²) 및 인근의 담보평가 사례(2,170,000원/m²)를 고려시 별도의 그 밖의 요인보정은 요하지 않는다는 판단.

3. 산출단가

$$2,250,000 \times \underset{\text{시}^{1)}}{1.01839} \times \underset{\text{지}}{1.000} \times \underset{\text{개}}{\frac{100}{105}} \times \underset{\text{그 밖}}{1.00} \qquad ≒ 2,180,000원/m²$$

1) $1.01373 \times \left(1 + 0.00246 \times \frac{56}{30}\right)$

4. 토지가액

$$2,180,000 \times 215.8 \qquad\qquad ≒ 470,444,000원$$

III. 건물가액

1. 재조달 원가

① 지하층 : 600,000 × 0.7 × 106.7

② 1층 : (600,000 + 20,000) × 106.7

③ 2·3층 : (800,000 + 40,000 + 50,000) × (107.48 + 60)

④ 소계 　　　　　　　　　　　　　　　　　　　　≒ 260,025,000

2. 건물가액 : $260,025,000 \times \frac{38}{50}$ 　　　　　　　≒ 197,619,000

IV. 감정평가액 결정

$$470,444,000 + 197,619,000 \qquad\qquad ≒ 668,063,000$$

연습문제 **3**　담보평가 (명세표) (25점)

🔍 문제분석

자료 분석	목차 및 논점 분석
〈자료 1〉 A은행의 의뢰목록 등 〈자료 2〉 감정평가사 K씨의 사전조사사항	→ 대상물건 확정 → 건물 소재지 상이 원인(공부상 불일치 파악)
〈자료 3〉 현장조사 후 자료 정리 사항 2. 현장조사일 : 2025년 9월 5일~2025년 9월 6일 3. 현장조사사항 4. 지적 및 건물개황도 5. 추가조사사항 〈자료 4〉 현장조사 후 A은행과의 협의 내용	→ 대상물건 확정 → 기준시점 → 토지특성, 타인점유, 건물 사용승인, 부합물 → 사실상 사도의 공동담보 처리 및 그 지분 → 사실상 사도의 공동담보 처리
〈자료 5〉 인근지역 내 표준지공시지가 〈자료 6〉 시점수정 자료 〈자료 7〉 개별요인비교 자료 〈자료 8〉 그 밖의 요인 비교 자료 〈자료 9〉 건물관련 자료 〈자료11〉 감정평가명세표 서식	→ 공시지가 기준법 → 건물 원가법 → 감정평가 명세표 작성(면적사정, 비고란 내역)

Ⅰ. 담보 감정평가액의 산정

1. 기준시점

가격조사완료일 2025.9.6.(감칙§9②)

2. 그 밖의 사항

1) 토지

- 추가된 '136-23' 도로부분은 지분만큼 공동담보포함, 현황도로 감정평가외.
- 타인점유부분은 담보물로서 부적합한바 감정평가외.

2) 건물 : 제시외 건물 부분인 '발코니'는 등기상 적법 건물부분이 아니므로 평가목적을 고려하여 감정평가외.

3. 토지가액

1) 단가산정

자연녹지. 단독주택인 公#17을 선정함.

$$330,000 \times 1.02375 \times 1.000 \times 0.850 \times 1.00 \qquad ≒ @287,000$$
$$\underset{시}{} \qquad \underset{지}{} \qquad \underset{개^{1)}}{} \qquad \underset{그 밖}{}$$

1) $1 \times 0.85 \times 1$
   $\underset{도}{} \quad \underset{형}{} \quad \underset{세}{}$

2) 토지가액 : $@287,000 \times 261m^{2\ 1)}$ ≒ 74,907,000원

   1) $269 - \underset{타인점유}{8} ≒ 261m^2$

3. 건물가액

1) 기호 가

   - $750,000 \times 1 \times \dfrac{27}{45}$ ≒ @450,000
     $\underset{RC}{} \qquad \underset{시}{}$
   - $@450,000 \times 102.3m^2$ ≒ 46,035,000원

2) 기호 나

   - $350,000 \times 1 \times \dfrac{27}{45}$ ≒ @210,000
     $\underset{시}{}$
   - $@210,000 \times 3.15m^2$ ≒ 661,500원

4. 감정평가액 결정

$$74,907,000 + 46,035,000 + 661,500 \qquad ≒ 121,603,500원$$
$$\underset{토}{} \qquad \underset{건 ㉮}{} \qquad \underset{건 ㉯}{}$$

연습문제 **4** 경매평가 ^(20점)

Ⅰ. 일괄경매조건인 경우 경매 감정평가

1. 기준시점 : 2025. 3. 31.

2. 대상물건의 확정

   1) 현황도로부분은 채무자가 받을 보상금을 지불 전에 압류하여 담보물권을 행사할 수 있으므로 보상평가액수준으로 감정평가함.

   2) 일괄 경매조건이므로 제시외건물도 평가한다.

3. 토지

   1) 비교표준지의 선정

   용도지역이 동일하고 이용상황이 유사한 공시지가 기호3을 비교표준지로 선정한다.

   2) 공시지가기준법

   $$22,000 \times \underset{\text{시}^{1)}}{1.02100} \times \underset{\text{지}}{1.000} \times \underset{\text{개}}{1.000} \times \underset{\text{그 밖}}{1.00} \qquad ≒ 22,000원/m^2$$

   1) 시점수정(2025. 1. 1~2025. 3. 31 : 녹지지역)

   3) 토지가액의 결정

   본건은 부지조성을 위해 3,000,000원이 투입되어 현황 잡종지의 상태이므로 이를 반영하여 다음과 같이 토지가격을 결정한다.

   $$22,000 + \frac{3,000,000}{300} \qquad ≒ 32,000원/m^2$$

   $$\langle \times 300 ≒ 9,600,000원 \rangle$$

4. 제시외건물

   $$(150,000+30,000) \times \underset{\text{시}}{1.00000} \times \underset{\text{개}}{1.000} \times \underset{\text{잔}}{1} \times \underset{\text{면}}{30} \qquad ≒ 5,400,000원$$

   ※ 주 : 감가수정은 정액법, 만년감가 기준

5. 감정평가액 결정

토지	9,600,000원
(토지보상금 : 50×8,500)	≒ 425,000
건물	5,400,000원
합계	15,425,000원

II. 제시외건물이 타인 소유인 경우 경매가격의 평가

1. 대상물건의 확정

토지는 121번지를 기준하여 평가하되, 제시외건물이 타인 소유이므로 지상권이 설정된 정도의
제한을 감안하여 청구(설정부분과 설정 외 부분 구분평가)하여야 하며 건물은 감정평가외.

2. 경매 감정평가액 결정

1) 지상권이 설정된 부분의 평가

$$32,000 \times (1 - 0.3) \times \underset{\text{면}^{1)}}{50} \qquad ≒ 1,120,000원$$

> 1) 지상권의 설정면적 : 30 ÷ 0.6≒50m²

2) 지상권이 설정되지 않은 부분의 평가

$$32,000 \times 250 \qquad ≒ 8,000,000원$$

3) 감정평가액 결정

$$1,120,000 + 8,000,000 + (보상금)\ 425,000 \qquad ≒ 9,545,000원$$

> **Tip** 제시외 건물이 소재하는 경우 경매평가 유의점
>
> 경매평가시 제시외 건물(종물과 부합물 제외)은 대상부동산의 소유권과 동일성 여부를 기준으로 대상부동
> 산과 제시외 건물이 일괄경매로 진행될 것인지, 제시외 건물은 제외되어 대상부동산만 구분하여 경매가
> 진행될 것인지를 판단하여야 한다.
>
> 대상부동산과 제시외 건물의 소유권이 상이한 경우에는 제시외 건물이 경매 대상이 될 수 없어 제시외
> 건물은 감정평가외 처리하고 제시외 건물이 토지가치에 미치는 영향을 고려하여 토지를 감액 처리하여야
> 한다.
>
> 대상부동산과 제시외 건물의 소유권이 동일하여 제시외 건물을 포함하여 경매가 진행되는 경우에는 제시외
> 건물을 감정평가 대상에 포함한다. 다만, 제시외 건물이 토지가치에 미치는 영향이 있는 경우에는 이를
> 고려할 수 있다.

연습문제 **5** 담보 경매 국공유재산평가 ^(20점)

I. 감정평가 개요

감칙 제5조에 근거한 가치다원론에 의해 토지·건물에 대한 담보·경매·처분·보상 목적의 각 감정평가가격을 결정한다. 평가대상 면적은 토지대장등본 및 일반건축물대장등본을 기준하고 건물의 내용년수는 경제적 내용년수를 기준함.

(기준시점 : 2025.8.28.)

II. 물음 1 (담보)

1. 대상물건의 확정

① 토지 : 공법상제한은 제한 받는 상태를 기준으로 평가하고, 협약서에 따라 현황 도로 및 타인점유면적은 평가외 처리함.

② 건물 : 일반건축물대장에 미등재된 제시외건물은 평가외 처리함.

2. 토지 (공시지가기준법)

$2,000,000 \times 1.03226 \times 1.000 \times 0.670 \times 1.00$ ≒ 1,383,000원/m²

    시[1]   지   개[2]   그 밖

1) $1.00512 \times 1.00235 \times 1.00901 \times 1.00623 \times 1.00225 \times 1.00237 \times 1.00237 \times \left(1 + 0.00237 \times \frac{28}{31}\right)$

2) $\frac{0.7}{0.8 + 0.2 \times 0.7} \times 0.9$

3. 건물 (원가법)

$750,000 \times \frac{45 - 7}{45} \times 0.7^{1)}$ ≒ 443,000원/m²

1) 도시계획도로 저촉

4. 감정평가액 결정

1) 토지 : (정상 토지) $1,383,000 \times 452m^2$ ≒ 625,116,000원

      (현황 도로) $50m^2$ 평가외

      (타인점유) $30m^2$ 평가외

2) 건물 : $443,000 \times 1,380$ ≒ 611,340,000원

3) 감정평가액(합계) :   1,236,456,000원

Ⅲ. 물음 2 (경매)

1. 대상물건의 확정

1) 토지 : 공법상제한은 제한받는 상태로 평가하고, 현황도로는 사실상사도 임에 따라 보상평가 규정을 준용하여 인근 토지 평가액의 1/3 이내로 평가하고 타인 점유 부분은 이로 인한 감가를 고려하여 평가함.

2) 건물 : 제시외건물은 동일인 소유의 종물임에 따라 포함하여 평가함.

2. 토지 (공시지가기준법)

1) 토지 : (정상 토지)	$1,383,000 \times 452m^2$	≒ 625,116,000원
(현황 도로)	$1,383,000 \times 1/3 \times 50m^2$	≒ 23,050,000원
(타인점유)	$1,383,000 \times 0.95 \times 30m^2$	≒ 39,420,000원

※ 1,314,000원/m^2

2) 합계 :   687,586,000원

3. 건물 (원가법)

$443,000 \times 1,380$ ≒ 611,340,000원

4. 제시외 (원가법)

$$291,000 \times \frac{40-7}{40} \times 0.7$$ ≒ 168,000원/m^2

⟨×30 ≒ 5,040,000원⟩

5. 감정평가액 결정

토지 + 건물 + 제시외   ≒ 1,303,966,000원

Ⅳ. 물음 3 (처분)

1. 대상물건의 확정

① 제2종 일반주거지역과 문화재보호구역 같은 일반적 계획제한은 제한받는 상태로 평가하나, 도시계획시설도로 저촉과 같은 개별적 계획제한은 제한 받지 않는 상태 기준함.

② 현황도로는 매각대상에서 제외 (따라서, 감정평가 대상 : 482m^2)

③ 토지는 나지상정 평가임에 따라 타인점유 부분은 나지 상정함.

④ 건물은 종물도 포함하여 평가

2. 토지 (공시지가기준법)

$$2,000,000 \times 1.03226 \times 1.000 \times 0.957 \times 1.00 \qquad ≒ 1,980,000원/m^2$$
$$\underset{시^{1)}}{} \qquad \underset{지}{} \qquad \underset{개^{2)}}{}$$

$$\langle \times 482 ≒ 954,360,000원 \rangle$$

1) • 지가변동률 : 1.03226

   • 생산자물가상승률 : $\dfrac{109.9}{108.4} ≒ 1.01384$

   • 결정 : 당해 지역의 지가변동을 보다 잘 반영하는 지가변동률 적용함.

2) $\dfrac{1}{0.8 + 0.2 \times 0.7} \times 0.9$

3. 건물 (원가법)

① 공부상 등재 : $750,000 \times \dfrac{45-7}{45}$ ≒ 633,000원/m²

$$\langle \times 1,380 ≒ 87,540,000원 \rangle$$

② 공부상 미등재 : $291,000 \times 33/40$ ≒ 240,000원/m²

$$\langle \times 30 ≒ 7,200,000원 \rangle$$

4. 감정평가액

토지 + 건물(제시외 포함)   ≒ 1,835,100,000

Tip 국·공유지 처분 평가시 공법상 제한의 처리

일반시가 평가방식으로 진행되는 경우에는 기준시점 당시의 모든 공법상 제한을 반영하여 감정평가하여야 한다. 국·공유재산 처분 목적의 감정평가에서도 용도지역·구역·지구 등의 일반적 제한은 현황을 반영하여 감정평가하여야 한다.

그러나, 도시계획시설 결정 등의 구체적 사업의 시행이 필요한 개별적 제한이 있는 경우 국·공유재산의 해당 지정 목적외의 목적으로 매각이 제한된다. 이러한 개별적 제한을 받는 국·공유재산이 처분의 대상이 되기 위해서는 기존 개별적 제한(도시계획시설)결정 등의 폐지가 선행되거나 전제 되어야 한다. 따라서, 도시계획시설 등으로 결정(저촉)된 국·공유재산의 감정평가 시에는 해당 저촉부분이 감정평가 대상에서 제외되는지 여부, 도시계획시설 변경(폐지) 또는 용도폐지가 전제되는지를 확인하여 감정평가 시 해당 도시계획시설(저촉)에 따른 감가 등이 반영되지 않도록 주의하여야 한다.

아울러, 건축물의 감정평가시에도 모든 공법상 제한을 반영하여 감정평가한다. 단, 개별적 제한은 사용·수익에 따른 제한 정도를 반영하나, 일반적 제한 중 그 내용이 용적률·건폐율·층수제한 등 건물의 규모를 결정하는 사항은 그 제한 내용이 현황 건축물의 규모(면적)에 반영되어 있어 별도의 감액 처리는 불필요하다.

연습문제 6 담보 경매평가 (20점)

🔍 **문제분석**

자료 분석	목차 및 논점 분석
〈자료 1〉 토지조서 1	→ 대상물건 확정
〈자료 2〉 토지조서 2	→ 토지의 변동
〈자료 3〉 현장 조사 사항 1. 토지조서1 관련(현장조사일 : 2025년 5월 15일) 2. 토지조서 2 – 연번④ 관련 (현장조사일 : 2025년 5월 16일)	→ 대상물건 확정 → 기준시점 → 용도지역, 타인점유, 토지특성 → 건물 물적 불일치 → 용도지역, 토지특성, 건물 물적 불일치
〈자료 4〉 표준지 공시지가	→ 공시지가 기준법
〈자료 5〉 각 대상 인근 거래사례	→ 그 밖의 요인 보정
〈자료 6〉 건물관련 자료	→ 건물 원가법
〈자료 7〉 지가변동률 〈자료 8〉 토지가격비준표 〈자료 9〉 기타사항	→ 공시지가기준법 → 그 밖의 요인 보정, 용도지역 변경 범위

I. (물음 1) 담보 (기준시점 : 현장완료일 2025. 5. 15)

  1. 토지

    1) 비교표준지 선정 : 계획관리 · 상업용 2025년 〈公 1-2〉

    2) 시점수정치 : 2025. 1. 1~5. 15(계 · 관)   ≒ 0.98729

    3) 그 밖의 요인 보정치

      ⑴ 사례선정 : 비교 가능성 있는 관리지역 공업용 인근 〈#1〉

      ⑵ 그 밖의 요인 보정치

$$\frac{584,689 \times \overset{\text{시}}{0.96683} \times 1 \times \overset{\text{용도지역 이용상황}}{(1.17 \times 1.15)}}{355,000 \times 0.98729 \times 1 \times (1.12 \times 1.04)} ≒ 1.86$$

4) 토지가액

$$355,000 \times \underset{\text{시}}{0.98729} \times \underset{\text{도}}{1.000} \times \underset{\text{형}}{(1.12 \times 1.04)} \times \underset{\text{그}}{1.86} \qquad \fallingdotseq @759,000원/m^2$$

$$\langle \times (2,400 - 200) \fallingdotseq 1,669,800,000 \rangle$$

타인점유 평가외

2. 건물가액

$$390,000 \times 1 \times (1 - 0.9 \times \frac{3}{40}) \qquad \fallingdotseq @363,000$$

$$\langle \times 1,000 \fallingdotseq 363,000,000 \rangle$$

3. 감정평가액 : 토지 + 건물 $\qquad \fallingdotseq 2,032,800,000$

II. (물음 2) 경매 (기준시점 : 현장조사완료일 2025. 5. 16)

1. 토지

1) 비교표준지 선정 : 미지정. 공장부지 2025년 〈公 2-2〉

2) 시점수정치 : 2025. 1. 1 ~5. 16(녹지) : $(1 - 0.01274) \times (1 - 0.01274 \times 1/135) \fallingdotseq 0.98717$

3) 그 밖의 요인 보정치

⑴ 사례선정 : 미지정, 공업 최근 〈#2〉 선정

⑵ 그 밖의 요인 보정치

$$\frac{615,850 \times 0.98717 \times 1 \times 1}{577,000 \times 0.98717 \times 1 \times 0.93} \qquad \fallingdotseq 1.14$$

4) 토지가액

$$577,000 \times 0.98717 \times 1 \times 0.93 \times 1.14 \qquad \fallingdotseq @604,000원/m^2$$

$$\langle \times 1,400 \fallingdotseq 845,600,000 \rangle$$

2. 건물

전소 멸실 건물은 평가외

공장 : $360,000 \times (1 - 0.9 \times \frac{1}{40}) \times 540 \qquad \fallingdotseq 190,026,000$

3. 제시외

1) 숙소 : $490,000 \times 100 \qquad \fallingdotseq 49,000,000$

2) 간이창고 : $90,000 \times (1 - 0.9 \times \frac{1}{20}) \times 20 \qquad \fallingdotseq 1,719,000$

4. 감정평가액 : 토지 + 건물 + 제시외 $\qquad \fallingdotseq 1,086,345,000원$

연습문제 7 **시점별·목적별 평가** (20점)

🔍 문제분석

자료 분석	목차 및 논점 분석
〈자료 1-1〉 사전조사사항 Ⅰ 1. 등기사항전부증명서 1) 토지등기사항전부증명서 2) 토지대장	→ 대상물건 확정 → 공부 간의 불일치 → 합병, 분할, 등록전환 등 토지의 변동 사항
〈자료 2-1〉 현장조사사항 Ⅰ : 2025. 01 .01 기준	→ 대상물건 확정 → 시장가치에 따른 현황 → 임대 계약 조건에 따른 이용방법
〈자료 2-2〉 현장조사사항 Ⅱ : 2025. 09. 21기준	→ 대상물건 확정 → 개발에 따른 현황
〈자료 1-2〉 사전조사사항 Ⅱ 1. 인근의 비교가능한 표준지 공시지가 2. 지가변동률 3. 가격자료 및 기타사항 〈자료 3〉 기타 참고사항	→ 공시지가 기준법

Ⅰ. (물음 1) 기준시점 2025. 1. 1 토지의 시장가치

1. 가치의 전제

시장가치란 대상물건이 통상적인 시장에서 충분한 기간 거래를 위하여 공개된 후 그 대상물건의 내용에 정통한 당사자 사이에 신중하고 자발적인 거래가 있을 경우 성립될 가능성이 가장 높다고 인정되는 대상물건의 가액으로서 최유효사용을 전제로 공시지가기준으로 평가함.

2. 기호#1 (공시지가기준법)

1) 대상물건의 확정

① 이용상황 : 현재 주차장으로 이용 중이나 일시적인 이용으로서 인근 표준적인 이용 상황이 "전"기준

② 토지이동 : 등록전환 및 분필된 상태로 2필지를 개별물건기준 평가함.(이하 동일)

③ 토지 개요 : 관리지역, 전, 300m², 가장형, 평지, 세로(가)

④ 건물 : 등기사항전부증명서 상 등재되어 있으나, 대장에 미등재되고 현황 소재불명으로 평가외(이하 동일)

2) 비교표준지 선정 : 관리지역, 전 표준지#1 선정.

3) 산출단가

$$62,000 \times 1.00000 \times 1.000 \times (\underset{도}{1.00} \times \underset{형}{1.04} \times \underset{세}{1.03}) \times \underset{그\ 밖}{1.00} ≒ @66,000원/m^2$$

$$\langle \times 300 ≒ 19,800,000원 \rangle$$

3. 기호#2 (공시지가기준법)

1) 대상물건의 확정

① 이용상황 : '전'으로 이용 중 이나 지목 '임야'로 인근 표준적사용 및 개간 상태 고려 '토지임야' 기준

② 보존묘지 : 보존묘지는 거래가 제한되거나 별도가치가 없는 것으로 보아 평가외(또는 감정평가 제외)

③ 토지 개요 : 관리지역, 토지임야, 300m², 가장형, 평지, 세로(가)

2) 비교표준지 선정 : 관리지역, 토지임야 표준지#6 선정.

3) 산출단가

$$43,000 \times 1.00000 \times 1.000 \times (\underset{도}{1.00} \times \underset{형}{1.04} \times \underset{세}{1.03}) \times \underset{그\ 밖}{1.00} ≒ @46,000원/m^2$$

$$\langle \times 300 ≒ 12,900,000원 \rangle$$
$$(묘지부분\ 30m^2\ 평가외)$$

4. 감정평가액 결정 : 2. + 3.　　　　　　　　　　≒ 37,700,000원

II. (물음 2) 기준시점 2025. 1. 1 토지의 기초가액

1. 가치의 전제

기초가액이란 적산임대료의 기초가 되는 가격으로서 대상물건의 원본가격을 말하는데 계약내용의 해당부분에 대한 계약기간에 한해 성립이 되는 가격으로 평가한다. 다만, 현실의 이용상황을 기초가액에 반영하여 이론상 적산법에 의한 것으로 전제함.

2. 기호#1 (공시지가기준법)

관리지역의 주차장으로 이용 중인바 표준지#4 선정

$$68,000 \times 1.00000 \times 1.000 \times (1.00 \times 1.04 \times 1.00) \times 1.00 ≒ @71,000원/m^2$$

$$\langle \times 300 ≒ 21,300,000원 \rangle$$

3. 기호#2 (공시지가기준법)

관리지역의 전으로 이용 중인 바 표준지#1 선정하되,

임대차 계약서상 분묘부분 포함하여 P씨가 사용 중인바, 본건은 330m², 부정형, 평지, 전이용임.

$62,000 \times 1.00000 \times 1.000 \times (1.00 \times 1.00 \times 1.03) \times 1.00$ ≒ @64,000원/m²

〈× 330 ≒ 21,120,000원〉

4. 감정평가액 결정 : 2. + 3.   ≒ 42,420,000원

Ⅲ. (물음 3) 기준시점 2025. 9. 21 토지의 시장가치

1. 개요

기준시점 2025. 9. 21의 시장가치는 대상 토지의 최유효사용을 전제로 공시지가기준으로 평가한다. (기준시점 현재 건축공정 80% 완료된 관리지역 상업용 건부지, 기부채납 제외)

2. 대상물건의 확정

① 이용상황 : 현재 상업용 건축물 건축 중으로 "상업용(기부채납 도로는 평가외)

② 일단지 : 2개 필지 상 건축 중으로 용도상 불가분관계에 있어 일단지로 평가함.

③ 토지 개요 : 관리지역, 상업용, 대지면적(일단지) 560m², 가장형, 평지, 세로(가)

3. 공시지가기준법

관리지역의 상업용 표준지#5 선정

$190,000 \times 1.01000 \times 1.000 \times (0.93 \times 1.04 \times 1.00) \times 1.30$ ≒ @241,000원/m²

비교표준지　　시점수정　　지역　　　　　개별　　　　　그 밖

〈× 560 ≒ 134,960,000원〉

연습문제 1 적용공시지가 선택 (10점)

I. 사업인정 의제일

택지개발사업 예정지구지정고시 : 2024. 9. 30

II. 취득할 토지의 가격 변동 인정 요건 (시행령 제38조의 2)

법 제70조제5항에 따른 취득하여야 할 토지의 가격이 변동되었다고 인정되는 경우는 도로, 철도 또는 하천 관련 사업을 제외한 사업으로서 다음 각 호를 모두 충족하는 경우로 한다.

① 해당 공익사업의 면적이 20만 제곱미터 이상일 것
② 해당 공익사업지구 안에 있는 「부동산 가격공시에 관한 법률」 제3조에 따른 표준지공시지가 (해당 공익사업지구 안에 표준지가 없는 경우에는 비교표준지의 공시지가를 말하며, 이하 이 조에서 "표준지공시지가"라 한다)의 평균변동률과 평가대상토지가 소재하는 시(행정시를 포함한다. 이하 이 조에서 같다) · 군 또는 구(자치구가 아닌 구를 포함한다. 이하 이 조에서 같다) 전체의 표준지공시지가 평균변동률과의 차이가 3퍼센트포인트 이상일 것
③ 해당 공익사업지구 안에 있는 표준지공시지가의 평균변동률이 평가대상토지가 소재하는 시 · 군 또는 구 전체의 표준지공시지가 평균변동률보다 30퍼센트 이상 높거나 낮을 것

III. 취득할 토지의 가격 변동 여부

1. 감정평가 기준이 되는 표준지 변동률(2023~2024) : 9%
2. 성남시 SC구 전체 변동률(2023~2024) : 5%
3. 변동여부 : 3% 이상 차이, 30% 이상인바 지가의 변동이 있는 것으로 판단함.

IV. 적용공시지가 선택

토지보상법 제 70조 제5항에 따라 관계법령 공고고시 (주민공고공람)로 인하여 취득할 토지의 가격이 변동되어 관계법령 공고고시 (주민공고공람)이전 공시된 공시지가로 가격시점 현재 공시된 최근 〈2023.1.1.〉을 적용.

연습문제 2   적용공시지가 선택 / 시점수정 ^(15점)

Ⅰ. 사업인정 의제일 및 적용공시지가 선택

1. 사업인정의제일 : 택지개발사업 지구지정고시 2024. 9. 30

2. 적용공시지가 선택 :

따라서 2024. 9. 30 이전을 공시기준일로 하는 가격시점 당시에 공시된 공시지가 중 2024. 9. 30에 가장 근접한 2024년 공시지가를 적용한다. (토지보상법 제70조제4항)

Ⅱ. 지가변동률

1. 주거지역 (2024. 1. 1~2025. 8. 31 : 주거지역)

$1.01611 \times 1.01368 \times 1.00160$ ≒ 1.03166

2024년 누계

2. 녹지지역 (2024. 1. 1~2025. 8. 31 : 녹지지역)

- 토지보상법 시행령 37조 2항 의거 해당 공익사업으로 인하여 지가가 변동된 경우로 해당 사업과 관계 없는 인근 시·군 또는 구의 지가변동률을 적용함
- S구 : $1.03038 \times 1.00974 \times 1.00700$ ≒ 1.04770
- B구 : $1.04695 \times 1.00431 \times 1.00090$ ≒ 1.05241
- 평균 : $(1.04770 + 1.05241) \div 2$ ≒ 1.05006

※ 해당 사업과 무관한 개발이익은 반영한다.

Ⅲ. 생산자물가상승률

(2025.8/2023.12 : 생산자물가지수) : $\dfrac{117}{100}$ ≒ 1.17000

Ⅳ. 결정

생산자물가상승률은 일반적인 재화의 가격변동을 반영할 뿐, 당해 지역의 국지적인 지가변동을 반영하지 못한다고 보아 지가변동률을 기준으로 결정함

Tip 「토지보상법」 시행령 §37② 적용

「토지보상법」시행령 §37②이 적용되는 경우 공시기준일부터 가격시점까지 모두 인근 시군구의 지가변동률만으로 적용해 산정하나, 구체적인 지가 상승요인을 분석 가능한 경우 해당 원인일 이전은 비교표준지가 소재하는 시군구를 적용하고 해당 원인일 이후를 인근 시군구 평균을 적용한다는 견해가 있어 예시답안에서 소개하였다.

연습문제 3   적용공시지가 선택 / 비교표준지 선정 [15점]

I. 감정평가 개요

1. 본건은 공공주택 건설을 위한 이의재결 목적 감정평가로「공공주택 건설 등에 관한 특별법」및「토지보상법」에 의거 정당보상액 산정

2. 가격시점 : 수용재결일 : 2025.8.31. 〈법§67①〉

II. 적용공시지가 선택

1. 사업인정 의제일

지구지정고시 2024.1.3.

2. 취득할 토지의 가격 변동 여부

1) 감정평가 기준이 되는 표준지 변동률(2023~2024)

$$(\ (9\% \times 6) \ + \ \ 9\% \ \ ) \div 7 \qquad\qquad\qquad\qquad\qquad ≒ 9\%$$

      公#2~8   公#9
      (사업지구 內)   (사업지구 外)

2) 성남시 SC구 전체 변동률 :   10%
3) 변동여부 :「공공주택 특별법 시행령」제20조 의거 30% 이하인바 지가의 변동 없음.

3. 적용공시지가 선택

관계법령 공고고시(주민의견청취)로 인하여 취득할 토지의 가격이 변동되지 않아 사업인정고시(지구지정고시) 이전 공시된 공시지가로 가격시점 현재 공시된 최근 〈2024.1.1.〉. (토지보상법 §70④)을 적용.

III. 비교표준지 선정

1. 선정기준 (시행규칙 §22③)

표준지는 특별한 사유가 있는 경우를 제외하고는 다음 각 호의 기준에 따른 토지로 한다.
① 「국토의 계획 및 이용에 관한 법률」에서 정한 용도지역, 용도지구, 용도구역 등 공법상 제한이 같거나 유사할 것
② 평가대상 토지와 실제 이용상황이 같거나 유사할 것

③ 평가대상 토지와 주위 환경 등이 같거나 유사할 것

④ 평가대상 토지와 지리적으로 가까울 것

2. 공법상 제한 (시행규칙 §23)

① 용도지역 등 : GB 해제는 당해 사업에 따른 변경인바, 변경 前〈G.B〉상태 기준

② 도시계획시설 : 개별적 제한으로 제한 없는 상태기준

3. 비교표준지 선정

1) 기호 #1 : 〈公 #9〉 - 사업지구 外

① 사업지구 內 주상용 표준지가 없어 ② 사업지구 外 GB 주상용 선정

2) 기호 #2 :

현황 GB 內 주거나지 기준 〈#3〉 선정

3) 기호 #3 : 〈公 #8〉

① 복구되어야 할 산림(현황 일시적 이용)으로 "임야" 기준

② 현황 유사한 GB 內 토지임야 〈#8〉 선정

4) 기호 #4 : 〈公 #4〉

본건 표준지 GB 內 〈#4〉 선정

Tip 「토지보상법」 시행령 §38-2 사업구역 내 표준지

「토지보상법」시행령 제38조의2 제1항 제2호는 "**해당 공익사업지구 안에 있는 표준지공시지가**(해당 공익사업지구 안에 표준지가 없는 경우에는 비교표준지의 공시지가)의 평균변동률"을 비교하도록 규정하고 있다. 이에 대한 해석은 원칙적으로 해당 사업지구 내에 소재하는 표준지만을 기준으로 변동률을 산정한다. 즉, 사업지구 외의 표준지를 일부 선정하는 경우도 사업구역에 소재한 표준지만 대상으로 변동률을 산정하며, 사업구역 내에 표준지가 전혀 없는 경우에만 비교표준지를 기준으로 변동률을 산정한다.

이와 별개로 "보금자리주택사업(공공주택특별법)"은 「토지보상법」시행령 제38조의2"에도 불구하고 「공공주택특별법」상 별도의 규정으로 "감정평가의 기준이 되는 표준지"의 변동률을 검토하도록 되어 있다. 따라서, 보금자리주택사업(공공주택특별법)은 비교표준지를 기준으로 변동률을 산정한다.

연습문제 **4**   적용공시지가 선택 / 시점수정 ^(15점)

Ⅰ. 가격시점

가격시점은 토지보상법 제67조 1항에 의하여 보상액 산정은 재결에 의한 경우 재결 당시의 가격을 기준으로 하는바, 재결일인 2025년 8월 25일임.

Ⅱ. 적용공시지가 선택

① 택지개발촉진법상 사업인정일은 택지개발사업지구 지정고시일임

② 토지보상법 70조 4항에 의하여 사업인정전 공시된 공시지가 중 사업인정일 이전으로 가격시점 당시 공시된 최근 시점의 2024년 공시지가를 적용

③ 시군구 평균 변동률이 제시되지 않아, 토지보상법 제70조 제5항을 검토하지 아니함

Ⅲ. 시점 수정치

1. 해당 사업으로 인한 지가의 변동 여부 검토 (시행령 37조 3항)

⑴ 당해 공익사업이 규모 20만제곱미터 이상으로, 당해 시군구 지가변동에 전반적으로 영향을 미치고 있음

⑵ 사업인정 고시일부터 가격시점까지 지가변동률이 3% 이상인지 여부

$(1 + 0.1075 \times 69/365) \times 1.01325 \times 1.01355 \times 1.01335 \times 1.01375 \times 1.01375$
$\times 1.01350 \times 1.01325 \times (1 + 0.01355 \times 25/31)$ ≒ 1.13287

〈∴약 13.287% 인바 3% 이상〉

⑶ 특별시의 용도지역 지가변동률 기준으로 1.3배 차이 여부

$(1 + 0.02675 \times 69/365) \times 1.00235 \times 1.00325 \times 1.00234 \times 1.00235 \times 1.00325$
$\times 1.00234 \times 1.00225 \times (1 + 0.00285 \times 25/31)$ ≒ 1.02577

13.581/2.577 ≒ 5.16인바,   〈∴특별시와 1.3배 이상 차이〉

⑷ 당해 공익사업으로 평가대상토지가 속한 시군구의 지가가 변동되었다고 판단됨.

2. 지가변동률 (2024. 1. 1~2025. 8. 25 : 인근 시군구 평균)

⑴ 강남구 : $1.03555 \times 1.02373 \times 1.00335 \times (1 + 0.00385 \times 25/31)$ ≒ 1.06698

⑵ 동작구 : $1.02750 \times 1.01504 \times 1.00235 \times (1 + 0.00275 \times 25/31)$ ≒ 1.04772

⑶ 수정구 : $1.02180 \times 1.01565 \times 1.00225 \times (1 + 0.00275 \times 25/31)$ ≒ 1.04243

⑷ 평 균 : (1.06698 + 1.04772 + 1.04243)/3   ≒ 1.05238

3. 생산자물가상승률 (2025. 8/2023. 12) : 133.5/130.2 ≒ 1.02535

4. 결정

생산자물가상승률은 일반재화의 가치변동을 나타내는 지표로서 국지적인 지가변동추세를 반영하지 못하므로 지가변동률을 시점수정치로 결정함

연습문제 **5** 불법형질변경 / 미지급용지 (10점)

I. 적용공시지가의 선택

토지보상법 상의 사업인정고시일로 의제되는 "택지개발 지구지정일(2025. 1. 23)" 이전에 공시된 것으로서 사업인정의제일에 가장 근접한 2025. 1. 1 기준의 공시지가를 적용함 (토지보상법 제70조 제4항)

II. 비교표준지의 선정

1. 기호1 토지

① 당해 공익사업의 시행을 직접 목적으로 하여 용도지역이 변경되어 則23조 2항 의거 변경전 〈관리지역〉을 기준으로 함

② 종래 불법으로 형질변경 하였으나 당해 사업에 편입되지 전 적법한 분필절차를 거쳐 위법상태가 치유되어 현황 〈대〉를 기준으로 〈#2〉 선정

2. 기호2 토지

① 미지급용지로서 則25조 1항 의거 편입될 당시의 이용상황을 상정함

② 다만 불법형질변경토지로서 95.1.7 당시 공익사업에 편입된 바, 편입당시의 이용상황인 나지상태를 기준하며

③ 공부상 지목을 기준으로 성토된 상황을 고려하기 위해 관리지역 내의 "전(편입당시 지목)"인 공시지가#4를 선정

> **Tip** 현황평가 원칙의 예외 규정

> **시행규칙 제24조(무허가건축물 등의 부지 또는 불법형질변경된 토지의 평가)**
> 「건축법」 등 관계법령에 의하여 허가를 받거나 신고를 하고 건축 또는 용도변경을 하여야 하는 건축물을 허가를 받지 아니하거나 신고를 하지 아니하고 건축 또는 용도변경한 건축물(이하 "무허가건축물등"이라 한다)의 부지 또는 「국토의 계획 및 이용에 관한 법률」 등 관계법령에 의하여 허가를 받거나 신고를 하고 형질변경을 하여야 하는 토지를 허가를 받지 아니하거나 신고를 하지 아니하고 형질변경한 토지(이하 "불법형질변경토지"라 한다)에 대하여는 무허가건축물등이 건축 또는 용도변경될 당시 또는 토지가 형질변경될 당시의 이용상황을 상정하여 평가한다.

> **시행규칙 제25조(미지급용지의 평가)**
> ① 종전에 시행된 공익사업의 부지로서 보상금이 지급되지 아니한 토지(이하 이 조에서 "미지급용지"라 한다)에 대하여는 종전의 공익사업에 편입될 당시의 이용상황을 상정하여 평가한다. 다만, 종전의 공익사업에 편입될 당시의 이용상황을 알 수 없는 경우에는 편입될 당시의 지목과 인근토지의 이용상황 등을 참작하여 평가한다.
> ② 사업시행자는 제1항의 규정에 의한 미지급용지의 평가를 의뢰하는 때에는 제16조제1항의 규정에 의한 보상평가의뢰서에 미지급용지임을 표시하여야 한다

연습문제 6   비교표준지 선정 (20점)

Ⅰ. (물음 1-1) 적용 공시지가의 선택

1. 사업인정 고시일

택지개발사업 지구지정고시일(2024. 9. 30)이 사업인정고시일이나 사업의 확장 또는 변경으로 인하여 추가로 세목고시된 토지의 경우에는 예정지구변경고시일(추가세목고시일)을 사업인정 고시일로 본다.

2. 기호1과 기호2

사업확장에 따라 토지세목이 추가고시된 토지로서 추가고시일을 사업인정고시일로 보기에 2025. 1. 31 이전을 공시기준일로 하는 가격시점 당시 공시된 것 중에서 2025. 1. 31에 가장 근접한 2025년도 공시지가를 적용한다(토지보상법 제70조 4항).

3. 기호3~17

기호3은 종전 세목고시 당시 누락된 것으로서 종전 2024. 9. 30을 사업인정고시일로 보며, 기호 4~17 또한 동일하다. 따라서 2024. 9. 30 이전을 공시기준일로 하는 가격시점 당시에 공시된 공시지가 중 2024. 9. 30에 가장 근접한 2024년 공시지가를 적용한다.

Ⅱ. (물음 1-2) 비교표준지 선정

1. 선정기준 (법 제70조 1항, 시행규칙 제22조 제3항)

① 용도지역, 용도지구, 용도구역 등 공법상 제한이 같거나 유사할 것
② 평가대상 토지와 실제 이용상황이 같거나 유사할 것
③ 평가대상 토지와 주위 환경 등이 같거나 유사할 것
④ 평가대상 토지와 지리적으로 가까울 것

2. 기호1

자연녹지지역 부분의 면적비율이 현저하게 낮아 가치형성에 미치는 영향이 미미하다고 판단되는바 주된 용도지역(주거지역)을 기준으로, E동 표준지 기호#1을 선정함

3. 기호2

당해 사업시행에 따른 절차로서 용도지역이 변경된 것으로서 변경 전 용도지역인 자연녹지지역 내의 ㏃, E동 표준지인 기호#4를 선정함(시행규칙 제23조 2항)

4. 기호3

주위환경으로 볼 때 현재 이용은 일시적 이용상황으로 판단되는바, 일반주거지역내 주거용 등을 고려하여 기호#1을 선정함(법 제70조 2항)

5. 기호4

본건은 예정공도로서 공도부지 평가규정에 준용되기에 인근 표준적 이용상황인 "대"로 하여 일반주거지역등을 고려하여 기호#1을 선정함. (시행규칙 제26조 1항 3호)

6. 기호5

89.1.24 이전에 신축된 무허가 건물부지로서 '대'로 평가하며, 적정 대지면적은 사업시행자가 제시한 면적인 $237.5m^2$으로 함.

따라서 $237.5m^2$ → 자연녹지지역 내 '대'인 E동 소재 기호#6 선정

$850-237.5 ≒ 612.5m^2$ → 자연녹지지역 내 '전'인 E동 소재 기호#4 선정

7. 기호6

불법 형질변경된 토지로서 95.1.7 당시 사업지구에 포함되지 않은바, 형질변경 당시의 이용상황인 '답', 자연녹지지역의 E동 표준지인 기호#5를 선정함. (시행규칙 제24조)

8. 기호7

89.1.24 이후에 신축한 무허가 건물부지로서 신축당시 이용상황인 '전', 자연녹지지역의 E동 표준지인 기호#4를 선정함. (시행규칙 제24조)

9. 기호8

현황평가의 예외인 일시적 이용(3개월 전 무상철거 전제로 신축)의 가설 건축물로서 자연녹지지역 내 '전'을 고려하여 기호#4를 선정함.

10. 기호9

공도의 부지로서 인근의 표준적인 이용상황의 '전'을 선정하여 구한 후 평가하므로 기호#4를 선정함. (시행규칙 제26조)

11. 기호10

적법한 형질변경행위이나 당해 사업으로 인하여 준공검사를 득하지 못하고 있는 상태인바, 현상이용인 '잡'을 고려하여 자연녹지지역 내 기호#3을 선정함.

12. 기호11

묘지의 경우 분묘가 없는 상태를 기준으로 하기에 인근의 표준적인 이용상황인 자연녹지지역 내 '임야'인 점을 고려하여 기호#7을 선정함.

13. 기호12

허가를 받은 형질변경토지로서 현황평가인 자연녹지지역 '전'을 고려하여 기호#4를 선정함.

14. 기호13

미지급용지로서 용도지역은 현황인 주거지역이며, 종전의 이용상황보다 오히려 증가된 미불용 지이기에 미지급용지 평가규정과 관계없이 현황평가한다. 따라서 주거지역내 '대'를 고려한 기호#1을 선정함(판례 92누4833).

15. 기호14, 15

일반주거지역 내 주거용이며 W동인 표준지#10을 선정함.

16. 기호16

89.1.24 이전에 신축한 무허가 건물부지로서 적정 부지는 '대'로 평가함.
- 500m² → 생산녹지 내 주거용인 기호#13
- 800m² → 생산녹지 내 전인 기호#12를 선정

연습문제 **7** 도시계획시설사업 ^(10점)

Ⅰ. 적용공시지가 선택 : 2024.1.1.

「국토의 계획 및 이용에 관한 법률」상 실시계획인가고시로 토지보상법§22의 사업인정고시가 의제됨에 따라, 법§70④에 의하여 사업인정고시일(2024.9.18) 이전에 고시된 공시지가를 적용함.

Ⅱ. 시점수정치 (2024.1.1~2025.8.24)

① 지가변동률 : 1.00080
② 생산자물가상승률 : 1.02870
③ 결정 : 국지적 지가변동을 반영하는 지가변동률 적용함.

Ⅲ. 토지단가

$$970,000 \times 1.00080 \times 1.000 \times (1.2 \times \frac{1}{0.8 + 0.2 \times 0.85}) \times 1.15 \fallingdotseq 1,380,000원/m^2$$

　　　　시　　　　　지　　　　개　　　　저촉　　　　그 밖1)

1) 해당 공익사업과 직접 관련없는 다른 공익사업(시장)의 계획에 따른 지가상승은 해당 사업으로 인한 개발이익이 아님에 따라 반영함 (판례)

연습문제 8 그 밖의 요인 보정치 (도시계획시설사업) (10점)

I. 그 밖의 요인 보정률

1. 공시지가기준 대상토지 단가

$$260,000 \times \underset{\text{시}^{1)}}{1.00771} \times \underset{\text{지}}{1.100} \times \underset{\text{개}}{1.100} \qquad ≒ 317,000원/m^2$$

1) 1.0021×1.0056

2. 보상선례 기준 대상토지 단가

$$210,000 \times \underset{\text{시}^{1)}}{1.00924} \times \underset{\text{지}}{1.100} \times \underset{\text{개}}{1.540} \qquad ≒ 359,000원/m^2$$

1) $(1 + 0.0018 \times \frac{1}{92}) \times 1.0015 \times 1.0021 \times 1.0056$

3. 그 밖의 요인 보정률

$$\frac{359,000 - 317,000}{317,000} \qquad ≒ 0.132$$

II. 선정기준

거래사례나 보상선례는 다음 각 요건을 갖추어야 한다. 다만, ④는 해당 공익사업의 시행에 따른 개발이익이 반영되어 있지 아니하다고 인정되는 사례의 경우에는 적용하지 아니한다.

① 용도지역·지구·구역 등 공법상 제한사항이 같거나 비슷할 것
② 실제 이용상황 등이 같거나 비슷할 것
③ 주위환경 등이 같거나 비슷할 것
④ 법 제70조에 따른 적용공시지가의 선택기준에 적합할 것
⑤ 재판, 수용재결 등 권리구제절차의 처분권주의 및 불이익변경금지원칙 등이 적용되어 적정 가액을 초과한 사례 등 이상(異常) 사례가 아닐 것

> **Tip** 「토지보상평가지침」상 그 밖의 요인 보정의 순서
>
> 1. 그 밖의 요인 보정의 필요성 및 근거
> 2. 거래사례등 기준 격차율 산정
> 3. 실거래가 분석 등을 통한 검증
> 4. 그 밖의 요인 보정치의 결정

연습문제 **9** 둘 이상의 용도지역 (15점)

Ⅰ. 감정평가 개요

당해 공익사업과 직접 관계없이 도시계획도로에 저촉된 토지의 필지 전체가 편입되는 경우로서 그 가치형성요인을 달리하는 바, 구분하여 평가한 후 면적비율에 의한 가중평균을 하기로 한다 (가격시점 : 2025. 9. 1).

Ⅱ. 일반상업 토지단가

용도지역, 이용상황에서 비교가능성이 있는 비교표준지#1를 선정

$$1,000,000 \times \underset{\text{시}^{1)}}{0.99502} \times \underset{\text{지}}{1.000} \times (\underset{\text{개}}{\frac{100}{98}} \times \underset{\text{도로}}{\frac{100}{100}}) \times \underset{\text{그 밖}}{1.00} \fallingdotseq 1,015,300원/m^2$$

1) (2025. 1. 1~2025. 9. 1 : 상업지역)

$(1 - 0.0101) \times (1 - 0.00444) \times (1 - 0.00371) \times (1 - 0.0014) \times 1.00123 \times 1.00357 \times 1.0049$

$\times \left(1 + 0.0049 \times \frac{32}{31}\right) \fallingdotseq 0.99502$

Ⅲ. 2종일주 토지단가

용도지역, 이용상황에서 비교가능성이 있는 비교표준지#2를 선정

$$500,000 \times \underset{\text{시}^{1)}}{1.06599} \times \underset{\text{지}}{1.000} \times (\underset{\text{개}}{\frac{100}{97}} \times \underset{\text{도로}}{\frac{100}{95}}) \times \underset{\text{그 밖}}{1.00} \fallingdotseq 578,400원/m^2$$

1) (2025. 1. 1~2025. 9. 1 : 주거지역)

$(1 - 0.00512) \times (1 - 0.00405) \times (1 - 0.0011) \times 1.0102 \times 1.0132 \times 1.0154 \times 1.0177$

$\times \left(1 + 0.0177 \times \frac{32}{31}\right) \fallingdotseq 1.06599$

Ⅳ. 보상평가액

1. 단 가
해당부분의 단가를 면적비율로 가중평균하여 결정함.

$1,015,300 \times 12/20 + 578,400 \times 8/20$ ≒ 840,500원/m²

2. 보상평가액

$840,500 \times 600$ ≒ 504,300,000원

연습문제 **10** 잔여지 1 (15점)

I. 감정평가 개요

1. 가격시점 : 2025년 9월 1일

2. 사업인정 의제 : 2025년 1월 28일

II. 편입부분의 보상액

1. 비교표준지 선정

자연녹지지역 내 이용상황(점포)이 동일한 표준지#2를 선정한다.

2. 시점수정치

- 지가변동률(2025. 1. 1~2025. 9. 1 : 녹지지역)

$$1.05076 \times \left(1 + 0.01 \times \frac{32}{31} \right) \fallingdotseq 1.06161$$

2025.7
누계
　　　　　　　　　　32일
　　　　　　　　　　(8.1~9.1)

- 생산자물가지수 : 125/117 ≒ 1.06838
- 결정 : 생산자물가지수는 당해 토지의 국지적인 지가변동을 반영하기 어려운 일반물가지수인 바, 지가변동률로 시점수정치를 결정하기로 한다.

3. 개별요인비교치

1(도로) × 1/0.95(형상) × 1(규모) × 100/92(기타)　　　　　　　≒ 1.144

4. 보상단가

950,000 × 1.06161 × 1.000 × 1.144 × 1.00　　　　　≒ 1,150,000원/m²
　　　　　시　　　　　지　　　　　개　　　　그 밖

Ⅲ. 잔여지의 가치하락 보상액

1. 편입부분의 단가 ≒ 1,150,000원/m²

2. 가치하락된 잔여지 단가 (표준지 2 기준)

$$950,000 \times 1.06161 \times 1.000 \times 0.880 \times 1.00 \qquad ≒ 888,000원/m^2$$

시　　　　　지　　　　개[1]　　　　그 밖

1) 1(도)×1(형)×0.9(규)×90/92(기타) ≒0.880(사업시행이익과의 상계금지 원칙)

3. 가치하락 보상액

$$(1,150,000 - 888,000) \times 260m^2 \qquad ≒ 68,120,000원$$

Ⅳ. 보상총액

$$1,150,000 \times 140m^2 + 68,120,000원 \qquad ≒ 229,120,000원$$

편입부분　　　　　　　　잔여지보상

연습문제 11 잔여지 2 ^(10점)

I. 잔여지 면적

2,000 - 1,700 = 300

II. 가치하락분

1. 편입 전 : 600,000 × 300 = 180,000,000
2. 편입후 (세로가, 부정형, 저지)
   1) 단가 : 600,000 × 0.9 × 0.94 × 0.9 = 447,000/m²
   2) 편입후 잔여지 : 447,000 × 300 = 134,100,000
3. 가치하락분 : 1. - 2. = 45,900,000

III. 잔여지 보상액

가치하락분+공사비(1.5억) : 195,900,000

※ 사업시행자 잔여지 매수 (법 73조제1항 단서)

가치하락분+공사비 〉 잔여지의 가격(180,000,000)

이므로 사업시행자는 잔여지를 매수할 수 있음.

연습문제 12 소유권외 권리가 설정된 토지 ^(20점)

I. 감정평가 개요

토지의 보상평가는 토지보상법 제70조 등 및 시행규칙 제22조에 따라 감정평가하며, 소유권외 권리는 시행규칙 제28조, 소유권외 권리가 설정된 토지는 시행규칙 제29조에 따라 감정평가함.

"소유권외 권리가 설정된 토지 ≒ 토지가액 – 소유권외 권리"

II. 토지

1. 적용 공시지가

법§70④에 의해 사업인정고시일(2025.5.1) 이전 공시지가로 가격시점 당시 공시된 최근 공시지가 2025.1.1 공시지가 선택함.

2. 일련번호1

1) 비교표준지

환경보전가치가 높은 개발제한구역 내 토지인바, 용도지역 및 이용상황(전) 등이 유사하고, 인근지역(I동) 내 소재하는 〈#나〉 선정함.

2) 시점수정치 (2025.1.1~2025.8.28 직전분기 추정)

① 지가변동률 : $1.0314 \times (1 + 0.0195 \times 59/91)$ ≒ 1.04444

② 생산자물가상승률 : $128.8/126.4$ ≒ 1.01899

③ 결정 : 당해 지역의 지가변동상황을 보다 잘 반영하고 있는 지가변동률을 적용함(이하 동일)

3) 그 밖의 요인 보정치 : 대상사업과 직접 관련없어 그 밖의 요인으로 참작함

① 거래사례 기준 : $\dfrac{91,200,000 \times 1 \times 1.03239 \times 1 \times 0.97 \times 1/1200}{58,000 \times 1.04444 \times 1 \times 1.05}$ ≒ 1.197

② 보상선례기준 : $\dfrac{7,500,000 \times 1.20152 \times 0.9 \times 0.95 \times 1/100}{58,000 \times 1.04444 \times 1 \times 1.05}$ ≒ 1.211

③ 결정 : 거래사례와 보상선례를 종합 고려하여 그 밖의 요인 보정치를 〈1.20〉으로 결정함.

4) 보상평가액

$$58,000 \times 1.04444 \times 1.000 \times 1.050 \times 1.20 \doteqdot 76,300원/m^2$$
$$\qquad\qquad\quad 시 \qquad\qquad 지 \qquad\quad 개 \qquad\quad 그 밖$$

$$\langle \times 300 \doteqdot 2\ 2,890,000 \rangle$$

3. 일련번호2

1) 나지상정 토지가액(#1과 동일사유 #나 선정)

$$58,000 \times 1.04444 \times 1.000 \times 1.000 \times 1.20 \doteqdot 72,700원/m^2$$
$$\qquad\qquad\quad 시 \qquad\qquad 지 \qquad\quad 개 \qquad\quad 그 밖$$

2) 감가율

$$0.10 \times \frac{4}{5} + 0.20 \doteqdot 0.28$$
$$\text{입체이용저해율} \qquad\quad \text{추가보정률}$$

※ 추가보정률 및 영구사용보정률은 구분지상권자에 귀속할 권리가 아닌바 이를 배제하는 견해가 있음.

3) 보상평가액

$$72,700 \times 150 - (72,700 \times 0.28 \times 80) \doteqdot 9,277,000$$

※ 선하지의 구분지상권의 산정시 기존 설정금액을 기반으로 산정도 가능하며 최근 기설정금액을 기준으로 산정하는 견해가 다수인바 추후 중급문제집 등 참고바람.

Tip 구분지상권(소유권 외 권리) 관련 규정

토지보상법 시행규칙 제28조(토지에 관한 소유권외의 권리의 평가)
① 취득하는 토지에 설정된 소유권외의 권리에 대하여는 해당 권리의 종류, 존속기간 및 기대이익 등을 종합적으로 고려하여 평가한다. 이 경우 점유는 권리로 보지 아니한다.
② 제1항의 규정에 의한 토지에 관한 소유권외의 권리에 대하여는 거래사례비교법에 의하여 평가함을 원칙으로 하되, 일반적으로 양도성이 없는 경우에는 해당 권리의 유무에 따른 토지의 가격차액 또는 권리설정계약을 기준으로 평가한다.

토지보상법 시행규칙 제31조(토지의 지하·지상공간의 사용에 대한 평가)
① 토지의 지하 또는 지상공간을 사실상 영구적으로 사용하는 경우 해당 공간에 대한 사용료는 제22조의 규정에 의하여 산정한 해당 토지의 가격에 해당 공간을 사용함으로 인하여 토지의 이용이 저해되는 정도에 따른 적정한 비율(이하 이 조에서 "입체이용저해율"이라 한다)을 곱하여 산정한 금액으로 평가한다.

[필자 의견]
취득하는 토지에 설정된 소유권외의 권리의 목적이 되고 있는 토지에 대한 평가는 같은 규칙 제29조의 규정에 의하여야 하고, 해당 구분지상권은 토지에 관한 소유권외의 권리의 평가 규정인 시행규칙 제28조가 우선 적용되어야 한다고 본다. 이에 시행규칙 제31조는 준용 내지 고려할 사항 정도로 적용되는 것이 보상의 형평성 및 합리성을 갖출 수 있는 방안이라고 생각한다.

연습문제 **13** 무허가건축물 (5점)

Ⅰ. 기호1, 2

도시·군계획시설 결정고시일(판례), 즉 행위제한일 이전에 신축한 무허가 건물로서 건물은 보상의 대상이 되며, 무허가 건물이기에 최소한도(600만원) 보상 등 생활보상은 이루어지지 않는다. (시행규칙 §58)

Ⅱ. 기호3

도시·군계획시설 결정고시일 이후에 신축한 무허가 건물로서, 사업인정으로 인해 일정한 의무를 위반한 경우로서 보상의 대상이 되지 않는다(토지보상법 제25조).

연습문제 14 잔여건축물 1 (10점)

I. 잔여부분 감가보상 근거

토지보상법 제75조의 2 및 동법 시행규칙 제35조에 근거하여 잔여 건축물에 대한 손실은 보상대상이 된다.

II. 보상액

1. 편입부분의 보상액 : $50,000 \times (4 \times 10 \times 5)m^3$ ≒ 10,000,000원

2. 잔여부분

1) 보수비 : $10,000 \times (10 \times 5)m^2$ ≒ 500,000원

2) 잔여부분가격 : $50,000 \times (6 \times 10 \times 5)m^3$ ≒ 15,000,000원

3. 결정 :

보수비가 잔여건축물 가격을 하회하므로 일부편입 및 보수비의 합으로 결정함. 10,500,000원 (여기서는 법조문 그대로 결정하였으나, 국토부 질의회신에 근거하여 전체취득비와 전체이전비와 비교하여 결정하여도 무방함.)

> **Tip** 잔여건축물 보상 기본 목차
>
> 1. 편입부분(취득부분) + 보수비(잔여부분)
> 2. 전체 물건의 가격
> 3. 전체 이전비
> 4. 결정

연습문제 15 잔여건축물 2 (10점)

I. 감정평가 개요

1. 가격시점 : 2025.8.7. (법§68②)

2. 평가개요
토지보상법 §75-2 및 동법 시행규칙 §35②에 근거 일부편입 건물의 보상평가

II. 편입 부분 보상액

1. 재조달원가
조적조, 점포및상가, 3급수 $= 1,180,000원/m^2$

2. 건물단가
$1,180,000 \times 30/45$ $= 787,000원/m^2$

3. 편입부분 보상액
$787,000 \times 6$ $= 4,722,000원$

III. 잔여부분

1. 보수비
$(800,000 \times 23.79 + 1,300,000 + 1,000,000 + 3,000,000) \times 1.2$ $= 29,198,000원$

2. 잔여부분 건물가액
$787,000 \times 194m^2$ $= 152,678,000원$

3. 결정
보수비가 잔여부분 건물가액 하회하여 보수비로 결정

IV. 보상평가액 (편입부분+보수비) $= 33,920,000원$

연습문제 **16** 지장물보상 (10점)

I. #1

1. 개요 : 이전 가능한바 법§75①에 의해 이전비와 잔여부분 보수비 보상함.

2. 보상평가액 : 5,000 × 30 + 50,000 ≒ 200,000원

II. #2

5,000 × 30 + 50,000 ≒ 200,000원

III. #3

1. 개요

무허가 건축물이기는 하나 사업인정고시일(2025. 5. 1) 이전에 신축되어 법§25에 의해 보상대상이 되며, 이전이 가능하기는 하나 잔여부분 보수가 불가능하여 법§75①에 의해 min[전체이전비, 물건가격] 기준함.

2. 전체 이전비

2,700,000 + 500,000 + (10,500,000 - 1,000,000) + 1,800,000 ≒ 14,500,000원

주) 난로 교체비는 시설개선비로 판단되어 제외함

3. 물건가격

$$180,000 \times \left(1 - \frac{5}{20}\right) \times 97.5 ≒ 13,163,000원$$
$$\underset{\text{잔}}{} \qquad \underset{\text{면}}{}$$

4. 결정 : 물건 가격이 낮음에 따라, 13,163,000원으로 결정함.

연습문제 17 주거용건축물 (10점)

I. 감정평가 개요

본건 평가대상은 당해 공익사업인 근린공원조성사업에 직접 필요하지 아니한 지장물임에 따라 공익사업을 위한 토지 등의 취득 및 보상에 관한 법률(이하 '법')§75 등에 의하여 평가함. (가격시점 2025. 8. 27)

II. 주택

1. 개요

(1) 이전비와 물건가격 중 적은 금액을 기준한다.

(2) 본건은 주거용 건축물임에 따라 위 (1)의 물건가격은 원가법에 의한 가격과 거래사례비교법에 의한 금액을 비교하여 큰 금액을 기준한다.

2. 물건 가격 결정 (시행규칙 제33조)

1) 거래사례비교법

$$50,000,000 \times 0.95 \times \frac{100}{105} \qquad\qquad ≒ 45,238,000$$
$$\underset{주)}{} \qquad \underset{개}{}$$

주) 당해 공공사업에 따른 주택 입주권(30,000,000원)으로 인한 가격상승분 제외함.

2) 원가법 : $630,000 \times \dfrac{13}{45}$ ≒ 182,000원/m²

⟨×100 ≒ 18,200,000원⟩

3) 결정 : 주거용 건축물로서 비준가액이 더 커 45,238,000원으로 결정한다.

3. 이전비

$630,000 \times (0.142 + 0.030 + 0.168 + 0.538)$ ≒ 553,000원/m²

⟨×100 ≒ 55,300,000원⟩

4. 결정

이전비가 물건가격을 상회하는바 물건가격 45,238,000원으로 결정한다.

연습문제 18 생활보상 (10점)

I. 이주정착금

1. 이주대책 규정 : 법§78, 령§40

2. 이주정착금 규정 : 칙§53②

이주정착금은 보상대상인 주거용 건축물에 대한 평가액의 30퍼센트에 해당하는 금액으로 하되, 그 금액이 1천2백만원 미만인 경우에는 1천2백만원으로 하고, 2천4백만원을 초과하는 경우에는 2천4백만원으로 한다.

3. 이주정착금 : 137,865,000 × 0.3 = 41,359,500

24백만원을 초과하여 〈2천4백만원〉으로 결정

II. 주거이전비

1. 소유자의 주거이전비 규정 : 칙§54①

가구원수에 따라 2개월분의 주거이전비를 보상하여야 한다. 다만, 건축물의 소유자가 해당 건축물 또는 공익사업시행지구 내 타인의 건축물에 실제 거주하고 있지 아니하거나 해당 건축물이 무허가건축물등인 경우에는 그러하지 아니하다.

2. 가구원수(2인) 2개월분 주거이전비 :

3,334,200 × 2월 = 6,668,400

III. 이사비

1. 이사비 규정 : 칙§55②

공익사업시행지구에 편입되는 주거용 건축물의 거주자가 해당 공익사업시행지구 밖으로 이사를 하는 경우에는 별표 4의 기준에 의하여 산정한 이사비를 보상

2. 이사비 : = 1,790,000원

연습문제 **19** 과수 등 1 ^(10점)

I. 감정평가 개요

택지개발사업지구에 편입되는 토지상의 식재되어 있는 관상수에 관한 보상평가로서, 관계 제 법령에 의거하여 적정 보상액을 평가함(가격시점 : 2025.8.31.).

II. 관상수 보상평가액

1. 개요

이식품셈에 의한 경우 "이전비"와 "물건가격"을 고려하여 작은 금액을 기준함 (토지보상법 제75조 1항).

이전비의 경우 이식 부적기(8월)로서 고손율 2배 고려함(시행규칙 제37조)

2. 이전비 (이식품셈 기준)

1) 이식비

① 굴취비 : 0.63 × 74,000 + 0.08 × 53,000   ≒ 50,860원/주

② 상하차비 : 0.075 × 75,000   ≒ 5,625원/주

③ 식재비 : 0.43 × 74,000 + 0.21 × 53,000 + 0.32 × 80,000   ≒ 68,550원/주

④ 운반비 : 6주인바, 2.5톤을 기준 75,000 ÷ 7   ≒ 10,714원/주

⑤ 재료비 : (50,860 + 68,550) × 0.05   ≒ 5,970원/주

⑥ 부대비용 : (50,860 + 5,625 + 68,550 + 10,714 + 5,970) × 0.1   ≒ 14,171원/주

⑦ 이식비(계)   ≒ 155,890원/주

2) 고손액 : 80,000 × 0.1 × 2   ≒ 16,000원/주

3) 이전비 : 155,890 + 16,000   ≒ 171,890원/주

〈× 6주 ≒ 1,031,340〉

3. 수목가격 : 6주×80,000   ≒ 480,000

4. 보상액 : 이전비가 수목가격을 초과하므로 수목 가격 480,000원으로 결정.

연습문제 20 과수 등 2 (10점)

I. 감정평가 개요

택지개발사업지구에 편입되는 토지상의 식재되어 있는 배나무에 관한 보상평가로서, 관계 제 법령에 의거하여 적정 보상액을 평가함. (가격시점 : 2025.8.31.)

II. 배나무 보상액

1. 이식가능 여부 : 이식가능 수령 7년 경과되어 이전이 불가능한바 물건가격 기준함.

2. 표준재식주수 기준한 정상주수 (則 40조 2항)

   1) 표준재식주수(10a당) : 4,620,000 ÷ 140,000 ≒ 33주

   2) 정상식에 의한 주수 : 33주 × $\dfrac{5,000}{1,000}$ ≒ 165주

   $$m^2 \rightarrow 10a$$ (실제 200주는 과다재식된 것으로 판단됨)

3. 보상평가액 : 4,620,000 × $\dfrac{5,000}{1,000}$ ≒ 23,100,000

연습문제 **21** 과수 등 3 (10점)

Ⅰ. 감정평가 개요

당해 근린공원조성사업에 직접 필요하지 아니한 지장물로서 토지보상법§75 및 동법 시행규칙§37 의거 이전비와 물건가격 중 적은 금액을 기준함 〈가격시점 2025. 8. 27〉

Ⅱ. 과수 (배나무)

1. 이전비

1) 이식비

$$[(45{,}000 \times 0.7 + 30{,}000 \times 0.29) \times 1.1 + 43{,}000 \times 0.03 + 2{,}000] \times 1.2$$
$$\fallingdotseq 57{,}000원/주$$

2) 고손액 및 감수액 : $120{,}000 \times 0.1 \times$ 2배 $+ 20{,}000 \times (1 - 0.1 \times 2) \times 2.2$

이식
부적기

$$\fallingdotseq 59{,}000원/주$$

3) 이전비　　　　　　　　　　　　　　　　　$\fallingdotseq 116{,}000원/주$

2. 결정

이식비가 물건가격(120,000원/주)보다 낮아 이전비 기준 5,800,000원

연습문제 **22** 광업권 (15점)

I. 감정평가 개요

광업권 소멸에 따른 보상액 산정에 관한 것으로, 평가시 토지보상법시행규칙 제43조 및 광업권보상지침 등에 근거하여 아래의 산식으로 평가한다. (가격시점 : 2025. 6. 1)

- 보상액 ≒광산평가액 – 이전·전용가능시설물의 잔존가치+이전비

II. 광산의 평가액

1. 광산의 상각 전 연수익

1) 사업수익 : 30,000 × 12 × 150,000   ≒ 54,000,000,000

2) 소요경비[1] :   ≒ 45,360,000,000

     [1] '상각전'인바 감가상각비는 고려하지 않음.

3) 연수익 : 54,000,000,000 – 45,360,000,000   ≒ 8,640,000,000

2. 가행년수

1) 총매장량 : 4,200,000 × 0.7[1] + 2,400,000 × 0.42[2]   ≒ 3,948,000

     [1], [2] 석탄광산의 경우, 확정 : 추정 ≒ 0.7 : 0.42

2) 가행년수 : $\dfrac{3,948,000}{30,000 \times 12}$ ≒ 11년

3. 광산의 각종이율

1) 배당이율 : $\dfrac{0.29}{1 - 0.2}$ ≒ 0.3625

2) 축적이율 :   0.115

4. 장래소요기업비의 현가

$45,360,000,000 \times 0.12 \times \dfrac{1}{1.125^{11}}$ ≒ 1,489,967,000

5. 광산의 평가액

$8,640,000,000 \times \dfrac{1}{0.3625 + \dfrac{0.115}{1.115^{11} - 1}} - 1,489,967,000$ ≒ 19,468,116,000

Ⅲ. 보상액 산정

1. 이전 · 전용 가능시설 가액 (평가금액)   31,000,000원

2. 그 이전비 : 8,000,000[1] + 11,100,000   ≒ 19,100,000원

    1) 지장물보상을 따르므로, 취득가격 범위 내 이전비로 보상함을 원칙으로 한다.

3. 보상액 : 19,468,116,000 - 31,000,000 + 19,100,000   ≒ 19,456,216,000원

연습문제 **23** 어업손실 (10점)

I. 감정평가 개요

토지보상법시행규칙 제44조에 따라 보상평가한다. (가격시점 : 2025. 6. 1)

- 허가어업 보상액 ≒평년수익액×3년+어선·어구 시설물 잔존가치

II. 평년수익액

1. 평균연간 어획량

$(114,000 + 110,000 + 112,000) \div 3$ ≒ 112,000kg

2. 평균연간 판매단가

$(5,300 + 5,300 + 5,200 + 5,200 + 5,100 + 5,300 + 5,400 + 5,400$
$+ 5,400 + 5,400 + 5,300 + 5,300) \div 12$ ≒ 5,300원

3. 평년수익액

$5,300 \times 112,000 \times (1 - 0.85)$ ≒ 89,040,000

III. 시설물의 잔존가액

1. 어선

1) 선체 : $4,500,000 \times 79 \times 0.773$ ≒ 274,802,000
2) 기관 : $200,000 \times 600 \times 0.631$ ≒ 75,720,000
3) 의장 : $250,000,000 \times 0.541$ ≒ 135,250,000
4) 합   ≒ 485,772,000

2. 어구 : $100,000,000 \times 0.464$ ≒ 46,400,000

3. 합   ≒ 532,172,000

IV. 보상평가액

$89,040,000 \times 3년 + 532,172,000$ ≒ 799,292,000원

연습문제 **24** 영업손실 (25점)

I. 감정평가 개요

도시계획시설도로사업에 편입됨에 따른 영업손실에 대한 보상평가로서, 관계법령 등에 의거 적정 보상액을 평가함. (가격시점 : 2025. 8. 31)

II. 각 영업별 평가방법

1. 기호#1

1) 자유업인바, 별도의 허가 등을 요하지 않으므로 적법한 영업임.

2) '89.1.24 이전 건축된 바, 적법한 건축물 내 영업임.

3) 적법한 건축물 내 적법영업인바, 시행규칙 제47조 기준 "휴업보상함".

2. 기호#2

1) 자유업인바, 별도의 허가 등을 요하지 않으므로 적법한 영업임.

2) '89.1.24 이후 무허가 건축물인바, 불법건축물 내 영업임.

3) 불법건축물 내 소유자인 바, "영업시설 등 이전비용" 보상함.

3. 기호#3

1) 자유업인바, 별도의 허가 등을 요하지 않으므로 적법한 영업임.

2) '89.1.24 이전 무허가 건축물이므로, 적법 건축물 내 영업임.

3) 적법건축물 내 적법영업인바, "휴업보상"함.

4. 기호#4

1) 자유업인바, 별도의 허가 등을 요하지 않으므로 적법한 영업임.

2) '89.1.24 이후 무허가건축물인바, 불법건축물 내 영업임.

3) 불법건축물 내 적법 영업이나, 임차영업자가 사업인정 고시일 등 1년 전부터 사업자 등록한 바 '영업이익 천만원한도'로 "휴업보상"함.

5. 기호#5

1) 허가업종인바, 사업인정 이후 허가를 득하였으므로, 불법영업임.

2) 적법 건축물 내 무허가 영업인바, 시행규칙 제52조에 근거하여, "도시근로자 3인가구 3월분 가계지출 + 영업시설 등 이전비용" 보상함.

6. 기호#6

1) '89. 1. 24 이전 무허가 건축물인바, 적법건축물 내 영업임.

2) 적법건축물 내 무허가 영업인바, 시행규칙 제52조에 근거하여, "도시근로자 3인가구 3월분 가계지출+영업시설 등 이전비용"을 보상함.

III. 각 영업별 보상액

1. 공통사항

1) 최저 영업이익 한도 : 2,915,554 × 4월 ≒ 11,662,216

2) 영업이익 : 연간 자가노력비를 포함하여, 36,000,000(한도액 초과),
   36,000,000 × 4/12 ≒ 12,000,000

3) 고정적비용 및 부대비용 : 4,000,000 + 500,000 ≒ 4,500,000

4) 영업시설 등 이전비용(시설개선비 제외, 시행규칙 제2조4호)
   (3,600,000 − 600,000) + 700,000 ≒ 3,700,000

5) 영업이익감소액 : 12,000,000 × 0.2 ≒ 2,400,000

2. 기호#1

12,000,000 + 12,000,000 × 0.2 + 4,500,000 + 3,700,000 ≒ 22,600,000

※ 영업이익 감소액한도 1,000만원

3. 기호#2 : 영업시설 등 이전비용 기준 ≒ 3,700,000

4. 기호#3 : ≒ 22,600,000

5. 기호#4

1) 임차영업자 영업이익 한도 고려할 때, "12,000,000 + 12,000,000 × 0.2 + 4,500,000〉 10,000,000"인바, 한도를 기준함.

2) 보상액 : 10,000,000 + 3,700,000 ≒ 13,700,000

6. 기호#5 : 2,915,554 × 3월 + 3,700,000 ≒ 12,447,000

7. 기호#6 : 2,915,554 × 3월 + 3,700,000 ≒ 12,447,000

연습문제 **25** 생활보상 ^(15점)

I. 감정평가 개요

공공사업시행에 따른 토지·지장물의 보상액 산정으로, 토지는 공시지가를 기준으로 거래사례를 참작하고, 지장물은 취득가격 범위 내 이전비 지급을 하도록 하되, 생활보상에 유의하기로 한다(가격시점 : 2025년 8월 20일).

II. 甲에 대한 보상액

1. 토지

1) 적용공시지가 선택

사업인정고시일(2025. 1. 15) 이전의 공시지가 중 가장 근접한 공시지가인 2025. 1. 1 공시지가를 선정함. (법§70④)

2) 비교표준지 선정

무허가건물부지로서 89. 1. 24 이전에 신축되었으므로, 신축당시 이용상황이 아닌 현황평가하되, 대와, 전을 구분하여 감정평가함. 따라서, ① '대' 부분은 관리지역, 단독 〈표준지 #1〉 ② '전' 부분은 관리지역, 전 〈표준지#2〉를 각각 선정함.

3) 시점수정치

(2025. 1. 1~2025. 8. 20 : D군 관리지역)

지가변동률은 용도지역을 기준으로 하되, 소재 시·군·구의 지가가 변동된 경우는 인근 시·군·구의 평균 지가변동률을 적용한다. 본건의 경우, 사업 면적은 200,000㎡ 이상이며, 사업인정 의제일부터 가격시점까지, 지가변동률이 6.990%로서 3% 이상이며, 속하고 있는 도에 대비하여 1.3배 이상이므로 지가변동이 현저한 것으로 판단되는바, 인근 시·군·구의 평균 지가변동률을 적용. (시행령 §37②)

$$1.02526 \times \left(1 + 0.005 \times \frac{51}{30}\right) \qquad \fallingdotseq 1.03397$$

4) 토지 보상평가액

⑴ '대' 부분

$$85,000 \times \underset{\text{시}}{1.03397} \times \underset{\text{지}}{1.000} \times \underset{\text{개}}{\frac{105}{95}} \times \underset{\text{그 밖}}{1.00} \qquad \fallingdotseq 97,000원/㎡$$

⑵ '전' 부분

$$40,000 \times 1.03397 \times 1.000 \times \frac{105}{100} \times 1.00 \qquad \fallingdotseq 43,000원/m^2$$

시　　　지　　　개　　　그 밖

⑶ 합계 : $97,000/m^2 \times 375 + 43,000/m^2 \times 425$　　　　　　$\fallingdotseq 54,650,000원$

2. 건물

1) 물건가격

$250,000 \times 0.1 \times 75$　　　　　　$\fallingdotseq 1,875,000원$

2) 이전비

$(20,000 + 30,000 + 50,000 + 30,000 + 20,000) \times 75$　　$\fallingdotseq 11,250,000원$

3) 결정

① 이전비가 물건가액을 상회하는바 물건가액을 기준하되

② 則58조 의거 평가액이 600만원 미만이므로 최저한도 기준 6,000,000원으로 결정

3. 보상총액 : 54,650,000 + 6,000,000　　　　　　$\fallingdotseq 60,650,000원$

연습문제 26 축산보상 (10점)

Ⅰ. 감정평가개요

1. **평가 목적** : 도로건설공사에 편입되는 협의목적의 보상평가

2. **기준가치** : 적정가치

3. **가격시점** : 2025.7.31. (법§67①)(계약체결예정시점)

4. **사업인정의제일** : 도로구역 결정고시 2024.12.31.

Ⅱ. 축산 보상 (칙§49)

1. **축산보상 평가방법** : 영업손실 평가 규정 (칙45~47) 준용
   단 다음 각호는 제외
   1) 제46조제3항 후단(폐업보상 영업이익 최소한도 규정)
   2) 제47조제1항 각 호 외의 부분(영업장소 이전 후 발생하는 영업이익감소액의 경우만 해당한다) 및 제7항(영업이익 감소액 최대한도)
   3) 제47조제5항 후단(휴업보상 영업이익 최소한도 규정)

2. **보상대상 여부 (가축별 기준마리수)**
   꿀벌 (20군) 이상으로 닭을 포함하여 축산업 보상
   (닭은 기준마리수 200마리 미만이나 가축별 기준마리수에 대한 실제 사육마리수의 비율의 합계가 1 이상인 경우에 해당)

3. **꿀벌** : $240{,}000 \times 4\ /12 + (5{,}000 + 25{,}000)$ $= 110{,}000/군$

   〈 × 30군 = 3,300,000원〉

4. **닭** : $3{,}600 \times 4\ /12 + (200 + 1{,}300)$ $= 2{,}700/수$

   〈 × 20수 = 54,000원〉

5. **축산보상액** : $3{,}300{,}000 + 54{,}000$ $= 3{,}354{,}000원$

연습문제 1 **토지 / 건축물** (20점)

I. 감정평가 개요

1. 도시계획도로에 편입된 토지 및 지장물에 대한 보상감정평가임.
2. 가격시점 : 2025. 8. 31
3. 사업인정의제일 : 2025.5.5. (실시계획인가 고시)

II. (물음 1) 토지 보상감정평가액

1. 적용공시지가 선택

토지보상법 제70조 4항 근거하여 사업인정의제일(2025. 5. 5) 이전을 공시기준일로 하는 공시지가로서 가격시점 당시 공시된 공시지가 중 가장 최근 공시지가 〈2025. 1. 1〉 선택함.

2. 비교표준지 선정

1) '89. 1. 24 이전 건축된 무허가건축물부지인 바, 사업시행자에게 조회한 결과 현실적 이용상황 고려하여 평가함.
2) 지적측량에 따른 조서상 면적 80m²를 '대'로 보고, 〈D〉 선정함.
3) 나머지 350 - 80 ≒ 270m² 부분은 '전' 기준 〈A〉 선정함.

3. 시점수정치 (생산자물가지수 미제시)

(2025. 1. 1~8. 31 녹지지역) $1.03068 \times (1 + 0.00404 \times \frac{62}{30})$ ≒ 1.03929

4. 그 밖의 요인 보정

1) 2025. 1. 1 공시지가에는 도시계획 실시계획 고시로 인한 개발이익이 반영되지 아니한 바, 별도로 개발이익 배제는 불필요함.
2) '대'부분은 보상선례와의 균형을 위하여, 그 밖의 요인 보정을 요함.
3) 그 밖의 요인 보정치 : $\dfrac{1,250,000 \times 1.06131^{1)} \times 1 \times 1.25}{1,100,000 \times 1.03929 \times 1 \times 1.05}$ ≒ 1.38

   1) (2024. 5. 7~2025. 8. 31, 녹지지역) : $\left(1 + 0.00117 \times \frac{25}{31}\right) \times \left(\frac{1.03694}{1.01638}\right) \times 1.03929$

5. 보상평가액

1) '대' 부분

$$1,100,000 \times 1.03929 \times 1.000 \times 1.050 \times 1.38 \qquad ≒ 1,660,000원/m^2$$

시　　　　지　　　　개¹⁾　　　그 밖

$$\langle \times 80 ≒ 132,800,000 \rangle$$

1) $1 \times 1.05 ≒ 1.050$

2) '전' 부분

$$320,000 \times 1.03929 \times 1.000 \times 1.563^{1)} \times 1.00^{2)} \qquad ≒ 520,000원/m^2$$

$$\langle \times 270 ≒ 140,400,000 \rangle$$

1) $1.25 \times 1.25 ≒ 1.563$

2) '전'의 비교표준지 공시지가는 그 밖의 요인 보정은 없는 것으로 봄. (1.00)

3) 보상액(計) ≒ 273,200,000

Ⅲ. (물음 2) 건물 보상감정평가액

1. 개요

1) 토지보상법 제75조 근거 물건의 가격 범위 내 이전비 보상 기준함.
2) 사업인정 이전 건축된 무허가건축물인 바, 보상 대상임.

2. 이전비

$$45,000,000 \times 0.45 \times 80/90 \qquad ≒ 18,000,000$$

3. 물건의 가격

1) 직접법 고려 여부 : 사정 개입된 바, 고려하지 아니함.
2) 간접법(건설사례A 기준)

$$39,000,000 \times 1 \times 1.00000 \times \frac{100}{98} \times \frac{9}{40} \times \frac{80}{100} \qquad ≒ 7,163,000$$

시　　　　개　　　잔　　　　면

4. 결정

작은 금액 기준하여 7,163,000원으로 결정함.

연습문제 **2**   토지 · 주거용건축물 · 수목 보상 ^(25점)

Ⅰ. 감정평가개요

1. 평가 목적 : 도로건설공사에 편입되는 협의목적의 보상평가

2. 기준가치 : 적정가치

3. 가격시점 : 2025.7.31. (법§67①)(계약체결예정시점)

4. 사업인정의제일 : 도로구역 결정고시 2024.12.31.

Ⅱ. (물음 1) 토지보상

1. 적용공시지가 선택 (법§70④)

사업인정고시일 전의 시점을 공시기준일로 하는 공시지가로서, 해당 토지에 관한 협의의 성립 당시 공시된 공시지가 중 그 사업인정고시일과 가장 가까운 시점에 공시된 공시지가 〈2024.1.1.〉 적용

2. 비교표준지 선정 (칙§22③)

대상과 용도지역, 이용상황 등 동일 유사한 〈다〉 선정

3. 시점수정치 (령§37①)

비교표준지가 소재하는 A군 계획관리

$1.08340 \times 1.05270 \times (1+0.00132 \times 61/31)$ $= 1.14346$

※ 생산자물가지수 미제시로 미적용

4. 지역요인 비교치 : 인근지역 소재하여 대등 $= 1.000$

5. 개별요인비교치

$0.85 \times 0.8 \times 0.9 \times (1.00 \times 0.91) \times 1/(0.25 \times 0.85+0.75) \times 1$ $= 0.579$

　　가　　　접　　　환　　　획　　　　　　행　　　　기

6. 그 밖의 요인 보정

1) 거래사례등 선정 : 용도지역, 이용상황 등 요건에 부합 〈B〉 선정

2) 격차율

$$\frac{643,000 \times 1.05507^* \times 1.00 \times 1.000}{300,000 \times 1.14346} = 1.97$$

* 시 : D군 계관 $1.0013 \times 1.0507 \times 1.00145 \times (1+0.00145 \times \frac{61}{31})$

3) 결정 : 인근 표준지공시지가, 거래사례 등 적정가격 고려 1.97 결정

7. 보상가액

$300,000 \times 1.14346 \times 1.000 \times 0.579 \times 1.97$ = @ 391,000

〈 × 330 = 129,030,000〉

Ⅲ. (물음 2) 건축물 보상

1. 평가방법 (칙§33②)

건축물의 가격은 원가법으로 평가한다. 다만, 주거용 건축물에 있어서는 거래사례비교법에 의하여 평가한 금액이 원가법에 의하여 평가한 금액보다 큰 경우 거래사례비교법으로 평가한다.

2. 원가법

1) 단독주택 : $(1,400,000+100,000) \times 45/50$ = @1,350,000

〈 × 88 = 118,800,000〉

2) 부속창고 : $360,000 \times 40/45$ = @320,000

〈 × 8 = 2,560,000〉

3) 합계 : =121,360,000원

3. 거래사례비교법

1) 사례 선정 : 건물의 직접비교 가능 사례 적용

2) 시점수정치 : 보합세 = 1.00000

3) 개별요인비교치 : 잔가율비교 포함 = 1.050

4) 비준가액 : $130,000,000 \times 1.00000 \times 1.05$ = 136,500,000

4. 결정

원가법에 의한 가액보다 거래사례비교법에 의한 가액이 커 〈136,500,000원〉으로 결정

IV. (물음 3) 수목 보상

1. 평가방법 (칙§37)

지장물인 관상수는 이식가능성을 고려하고, 이식이 가능한 경우 이전비와 고손액의 합계 (이식부적기는 고손액의 2배 이내) 이식이 불가능한 경우 거래사례가 있는 경우 거래사례비교법 등으로 평가한다.

고손율은 당해 수익수 및 관상수 총수의 10퍼센트 이하의 범위안에서 정하되, 이식적기가 아닌 경우에는 20퍼센트까지로 할 수 있다.

2. 이식비 : 330,000 + 400,000 × 0.2 (이식부적기) = 410,000

3. 물건의 가격 : = 400,000

4. 결정 : 이전비 내 물건의 가격 400,000원으로 결정

연습문제 **3**　토지 / 농업손실 (산업단지사업) (25점)

I. 감정평가 개요

1. 대상부동산은 일반산업단지사업을 위한 토지보상 목적 감정평가로 관련법령에 의거 정당보상액 산정

2. 가격시점 : 계약체결예정일 2025.8.31.(법§67①)

3. 사업인정 의제일 : 산업단지 지정고시 2024.6.9.

II. (물음 1) 토지 보상

1. 비교표준지 선정

   1) 선정기준 (시행규칙 §22③)

   용도지역 등 공법상 제한이 같거나 유사할 것,

   실제 이용상황, 주위 환경 등이 같거나 유사할 것, 지리적으로 가까울 것

   2) 공법상 제한 (시행규칙 §23)

   해당 사업에 따른 용도지역 변경은 배제

   ⑴ 기호#1 : 해당 사업에 따른 변경 배제 〈농림지역〉 기준

   ⑵ 기호#2 : 해당 사업과 무관한 용도지역 변경은 반영〈계획관리〉 기준

   3) 비교표준지 선정

   ⑴ 기호 #1 : 농림지역, 전, 〈公 #1〉 선정

   ⑵ 기호 #2 : ① 불법형질변경 토지로 시행규칙 §24 근거 "임야" 기준

   　　　　　　　② 계획관리, 임야 〈#5〉 선정

2. 취득할 토지 가격 변동 여부

   1) 비교표준지 변동률 (2023~2024) :　　　　　　　　　　　　　　　　　16%

   2) □□군 표준지 전체 변동률 (2023~2024) :　　　　　　　　　　　　　16%

   3) 변동여부

   차이3%P 미만, 변동률1.3배 이하인 바 지가의 변동 없음.

3. 적용공시지가 선택

   관계법령 공고고시 (지정열람공고)로 인하여 취득할 토지의 가격이 변동되지 않아 사업인정고시 (산업단지 지정고시) 이전 공시된 공시지가로 가격시점 현재 공시된 최근 〈2024.1.1.〉 적용 〈법§70④〉

4. 시점수정치

1) 지가변동률 (2024.1.1.~2025.8.31.)

해당 사업에 따라 비교표준지가 소재하는 지가변동률이 현저히 변동되어
인근 시군구 지가변동률 적용 (令§37②)

⑴ 농림지역(#1) : 1.03×1.03 ≒ 1.06090
⑵ 계획관리(#2) : 1.03×1.02 ≒ 1.05060
  평균   계관

2) 생산자 물가변동률 : 미제시

3) 결정 : 국지적 지가변동을 반영하고 있는 지가변동률 적용

5. 그 밖의 요인 보정치

1) 선정 : 농림지역, 전, 2024.6.9 이전 보상선례 〈#B〉 선정
2) 보정치

$$\frac{60{,}000^* \times 1.06090^* \times 1 \times 0.98}{29{,}000 \times 1.06090 \times 1 \times \dfrac{1.05}{0.85} \times \dfrac{1.05}{0.85}} ≒ 1.33$$

＊ 가중평균단가 적용
＊ 시(인근 시군구 평균)

6. 토지 보상평가액

1) 기호 1 : $29{,}000 \times 1.06090 \times 1 \times 1 \times \dfrac{1.05}{0.85} \times \dfrac{1.05}{0.85} \times 1.33$ ≒ 62,000

〈×200 ≒ 12,400,000〉

2) 기호 2 : $35{,}000 \times 1.05060 \times 1 \times 1 \times 1 \times 1.00$ ≒ 37,000

〈×1,000 ≒ 37,000,000〉

Ⅲ. (물음 2) 농업손실 보상 (시행규칙 §48)

1. 보상대상 기준

농지법 제2조제1호 가목에 해당하는 토지(농지)를 보상대상으로 하며, 다음의 토지는 농업손실
보상의 대상이 되는 농지로 보지 아니한다.

① 사업인정고시일등 이후부터 농지로 이용되고 있는 토지
② 토지이용계획·주위환경 등으로 보아 일시적으로 농지로 이용되고 있는 토지
③ 타인소유의 토지를 불법으로 점유하여 경작하고 있는 토지

④ 농민(농지법 제2조제3호의 규정에 의한 농업법인 또는 농지법시행령 제3조제1호 및 동조제2호의 규정에 의한 농업인)이 아닌 자가 경작하고 있는 토지

⑤ 토지의 취득에 대한 보상 이후에 사업시행자가 2년 이상 계속하여 경작하도록 허용하는 토지

2. 보상대상 여부

공부상 지목 '임야' 이나, 농지법 제2조 제1호 제가목에 해당하는 "사실상의 농지"의 경우 농업손실 보상 대상임.

(다만, 산지관리의 필요성 등 전반적 사정을 고려할 때, 손실보상 하는 것이 사회적으로 용인될 수 없다고 인정되는 경우는 보상대상에서 제외)

Ⅳ. (물음 3) 농업손실 보상액 산정

1. 경기도 연간 농가평균 단위경작면적당 농작물총수입 기준 단가

$(19,625,000 \div 15,261.84 + 19,479,000 \div 14,821.09$
$+ 20,622,000 \div 15,612.19) \div 3$ ≒ @1,307원/㎡

2. 농업손실 보상액

1,307원/m² × 400m² × 2년   ≒ 1,045,600원

※ '16.1.21 이후 지목 '임'이나 형질변경하여 경작한 경우에는 「농지법」 상 '사실상의 농지'에 해당하지 아니하여 농업손실보상 대상에서 제외됨.

연습문제 **4** 토지 / 지장물 (재편입가산금 등) (20점)

Ⅰ. 감정평가 개요

1. 공익사업을 위한 토지 등의 취득 및 보상에 관한 법률(이하 법) 등을 참작한다.
2. 구분평가·물건별로 각각 평가한다 (법·칙§20).
3. 가격시점은 계약체결 예정일 2025. 1. 20

Ⅱ. 토지 보상평가

1. 적용 공시지가

법§70 ④에 의거하여 사업인정 고시 의제일(2023. 8. 3) 전에 공시된 공시지가 중 가장 가까운 시점의 가격시점 당시 공시된 2023. 1. 1 공시지가 적용함.

2. 비교표준지 선정

인근지역 내 동일용도지역 표준지 중 개별적 제한인 도시계획시설도로에 저촉되지 않고 일반적 제한인 군사시설보호 구역에 저촉되며, 이용상황 등에서 비교가능성 높은 〈#2〉선정함.

3. 토지단가

$$150,000 \times \underset{\text{시}^{1)}}{1.05999} \times \underset{\text{지}}{1.000} \times \underset{\text{개}^{2)}}{0.973} \times \underset{\text{그 밖}^{3)}}{1.10} \qquad ≒ 170,000원/m^2$$

$$\langle \times 500 ≒ 85,000,000 \rangle$$

1) $1.02365 \times 1.03016 \times \left(1 + 0.02333 \times \dfrac{20}{90}\right)$

2) $\dfrac{1.07}{1.10} \times 1.05 \times \dfrac{1.00}{1.05}$

3) 당해 공익사업이 아닌 도로사업으로 인한 지가상승분은 반영함

Ⅲ. 지장물 보상평가

1. 개요

물건의 가격 범위 내에서 이전비 보상함

2. 기호1 주택

1) 개요 : 보상평가는 현황평가임에 따라 현황을 기준함

2) 물건의 가격 : $520,000 \times \dfrac{19}{35} \times 45$ $\fallingdotseq 12,703,000$

3) 이전비 : $520,000 \times (0.207 + 0.143 + 0.135 + 0.208 - 0.053 + 0.168) \times 45$

                                         $\fallingdotseq 18,907,000$

4) 결정 : 물건의 가격이 이전비보다 적어 물건가격 12,703,000원으로 결정함

Ⅳ. 재편입 가산금

1. 개요

본건 주거용 건축물은 종전 사업 보상일로부터 20년 이내에 다른 공익사업에 편입됨에 따라 1천만원을 한도로 재편입가산금 대상에 해당됨. (시행규칙 §58)

2. 재편입 가산금

$(85,000,000 + 12,703,000) \times 0.3$ $\fallingdotseq 29,311,000$

3. 결정

상기 금액이 1천만원을 초과하여 10,000,000원으로 결정함.

Ⅴ. 보상평가액

토지 :	85,000,000원
지장물 :	12,703,000원
재편입 가산금 :	10,000,000원
합계 :	107,703,000원

Tip 주거용건축물 보상 관련(특례) 규정

토지보상법 시행규칙 제53조(이주정착금 등)
① 영 제40조제2항에서 "국토교통부령이 정하는 부득이한 사유"라 함은 다음 각호의 1에 해당하는 경우를 말한다.
1. 공익사업시행지구의 인근에 택지 조성에 적합한 토지가 없는 경우
2. 이주대책에 필요한 비용이 당해 공익사업의 본래의 목적을 위한 소요비용을 초과하는 등 이주대책의 수립·실시로 인하여 당해 공익사업의 시행이 사실상 곤란하게 되는 경우
② 영 제41조의 규정에 의한 이주정착금은 보상대상인 주거용 건축물에 대한 평가액의 30퍼센트에 해당하는 금액으로 하되, 그 금액이 6백만원 미만인 경우에는 6백만원으로 하고, 1천2백만원을 초과하는 경우에는 1천2백만원으로 한다.

토지보상법 시행규칙 제54조(주거이전비의 보상)

① 공익사업시행지구에 편입되는 주거용 건축물의 소유자에 대하여는 해당 건축물에 대한 보상을 하는 때에 가구원수에 따라 2개월분의 주거이전비를 보상하여야 한다. 다만, 건축물의 소유자가 해당 건축물 또는 공익사업시행지구 내 타인의 건축물에 실제 거주하고 있지 아니하거나 해당 건축물이 무허가건축물등인 경우에는 그러하지 아니하다.

② 공익사업의 시행으로 인하여 이주하게 되는 주거용 건축물의 세입자(법 제78조제1항에 따른 이주대책대상자인 세입자는 제외한다)로서 사업인정고시일등 당시 또는 공익사업을 위한 관계법령에 의한 고시 등이 있은 당시 해당 공익사업시행지구안에서 3개월 이상 거주한 자에 대하여는 가구원수에 따라 4개월분의 주거이전비를 보상하여야 한다. 다만, 무허가건축물등에 입주한 세입자로서 사업인정고시일등 당시 또는 공익사업을 위한 관계법령에 의한 고시 등이 있은 당시 그 공익사업지구 안에서 1년 이상 거주한 세입자에 대하여는 본문에 따라 주거이전비를 보상하여야 한다.

③ 제1항 및 제2항에 따른 주거이전비는 「통계법」 제3조제3호에 따른 통계작성기관이 조사·발표하는 가계조사통계의 도시근로자가구의 가구원수별 월평균 명목 가계지출비(이하 이 항에서 "월평균 가계지출비"라 한다)를 기준으로 산정한다. 이 경우 가구원수가 5인인 경우에는 5인 이상 기준의 월평균 가계지출비를 적용하며, 가구원수가 6인 이상인 경우에는 5인 이상 기준의 월평균 가계지출비에 5인을 초과하는 가구원 수에 다음의 산식에 의하여 산정한 1인당 평균비용을 곱한 금액을 더한 금액으로 산정한다.

1인당 평균비용 = (5인 이상 기준의 도시근로자가구 월평균 가계지출비
　　　　　　　　　 - 2인 기준의 도시근로자가구 월평균 가계지출비)÷3

토지보상법 시행규칙 제55조(동산의 이전비 보상 등)

① 토지등의 취득 또는 사용에 따라 이전하여야 하는 동산(제2항에 따른 이사비의 보상대상인 동산을 제외한다)에 대하여는 이전에 소요되는 비용 및 그 이전에 따른 감손상당액을 보상하여야 한다.

② 공익사업시행지구에 편입되는 주거용 건축물의 거주자가 해당 공익사업시행지구 밖으로 이사를 하는 경우에는 별표 4의 기준에 의하여 산정한 이사비(가재도구 등 동산의 운반에 필요한 비용을 말한다. 이하 이 조에서 같다)를 보상하여야 한다.

③ 이사비의 보상을 받은 자가 당해 공익사업시행지구안의 지역으로 이사하는 경우에는 이사비를 보상하지 아니한다

토지보상법 시행규칙 제58조(주거용 건축물등의 보상에 대한 특례)

① 주거용 건축물로서 제33조에 따라 평가한 금액이 6백만원 미만인 경우 그 보상액은 6백만원으로 한다. 다만, 무허가건축물등에 대하여는 그러하지 아니하다.

② 공익사업의 시행으로 인하여 주거용 건축물에 대한 보상을 받은 자가 그 후 당해 공익사업시행지구밖의 지역에서 매입하거나 건축하여 소유하고 있는 주거용 건축물이 그 보상일부터 20년 이내에 다른 공익사업 시행지구에 편입되는 경우 그 주거용 건축물 및 그 대지(보상을 받기 이전부터 소유하고 있던 대지 또는 다른 사람 소유의 대지위에 건축한 경우에는 주거용 건축물에 한한다)에 대하여는 당해 평가액의 30퍼센트를 가산하여 보상한다. 다만, 무허가건축물등을 매입 또는 건축한 경우와 다른 공익사업의 사업인정고시일등 또는 다른 공익사업을 위한 관계법령에 의한 고시 등이 있은 날 이후에 매입 또는 건축한 경우에는 그러하지 아니하다.

③ 제2항의 규정에 의한 가산금이 1천만원을 초과하는 경우에는 1천만원으로 한다.

연습문제 5   선하지보상 ^(25점)

I. (물음 1) 기설선하지 영구사용 보상액

1. 개요

  1) 가격시점 : 2025. 5. 31

  2) 토지보상법 시행규칙(§31 근거) : 토지가액×감가율(입체이용저해율＋추가보정률)

2. 토지가액

  1) 적용공시지가 : 가격시점 최근 2025. 1. 1

  2) 비교표준지 : 미지정 垈〈#349-5〉

  3) 토지단가 : $156,000 \times \underset{\text{시}^{1)}}{1.01480} \times \underset{\text{도}}{1.000} \times \left(1 \times \underset{\text{용도}}{\frac{121}{100}} \times \frac{100}{96} \right) \times \underset{\text{형상}}{\frac{1}{0.8}} ≒ @249,000원/㎡$

    1) 2025. 1. 1 ~ 5. 31(녹지)

3. 감가율

  1) 입체이용저해율

   ⑴ 건물 등 저해

    • 저해 층수 – 이격거리

      $3 + \dfrac{154 - 35}{10} \times 0.15$ ≒ 4.8M

      *12(단수)

      - 건축가능층수 : (30 - 4.8) ÷ 4   ≒ 6층

      - 저해층수   ≒ 7층

    • 저해율 : $0.75 \times \dfrac{77}{91 + \cdots 77 \times 4}$ ≒ 0.082

   ⑵ 기타 : $0.15 \times \dfrac{3}{4}$ ≒ 0.113

   ⑶ 기본율 : ⑴ + ⑵   ≒ 0.195

  2) 추가보정률

    $\underset{\text{송전선}}{0.10} + \underset{\text{개별}}{(0.05 + 0.05)} + \underset{\text{그 밖}}{0.05}$ ≒ 0.25

3) 감가율 : 1) + 2)   ≒ 0.445

4. 영구사용 보상액

$249,000 \times 0.445$ ≒ @110,805원/m^2

〈 × 382.8 ≒ 42,416,150원〉

II. (물음 2) 도시계획시설 보상

1. 개요

1) 가격시점 : 2025.8.31

2) 토지보상법 시행규칙(§28, 29) : 소유권외의 권리 설정 토지 = 토지가액 – 소유권외의 권리

2. 적용공시지가 :

법§70④에 따라 실시계획인가고시(사업인정의제) 이전을 공시기준일로 하는 공시지가 중 가격시점 최근 공시된 공시지가 2025.1.1.

3. 토지가액

$$156,000 \times 1.01480^{1)} \times 1.000 \times \left(1 \times \frac{121}{100} \times \frac{100}{96}\right) \times \frac{1}{0.8} \qquad ≒ @249,000원/m^2$$

1) 2025.1.1~8.31 녹지

4. 구분지상권 (소유권외의 권리, 칙§28)

1) 1방법(입체이용저해율)

$249,000 \times 0.195 \times 382.8$ ≒ 18,586,850

입체이용저해율

2) 2방법   ≒ 42,416,150

3) 결정 : [1) + 2)] × 0.5   ≒ 30,537,100

5. 보상액

1) 토지소유자 : $249,000 \times 990 - 30,537,100$ ≒ 215,972,900

2) 구분지상권자   ≒ 30,537,100

연습문제 **6**   건물 / 영업손실 ^(25점)

Ⅰ. 감정평가 개요

본건은 택지개발사업에 편입되는 지장물, 영업에 대한 중앙토지수용위원회의 이의재결을 위한 보상평가임. 가격시점은 토지보상법 제67조 1항에 의하여 보상액 산정은 재결에 의한 경우 재결 당시의 가격을 기준으로 하는바, 재결일인 2025년 8월 25일임.

Ⅱ. (물음 1) 건물의 보상평가액

  1. 기호#가

   1) 편입부분 (20m²) : $550,000 \times 20 \times 26/45$ ≒ 6,356,000

   2) 보수비 : $400,000 \times (9.4 \times 2) + 50,000 \times (50 - 20)$ ≒ 9,020,000

   3) 보상액 : ≒ 15,376,000원

   보수비가 건축물잔여부분의 가격($550,000 \times 30 \times 26/45$ ≒ 9,533,000원)을 하회하므로 일부편입 및 보수비의 합으로 결정함. (일부편입에 따른 잔여부분의 가치하락은 없는 것으로 전제함.)

   ※ 참고 : 전체 이전비 $4,000,000 + 1,500,000 + 1,200,000 + (20,000,000 - 5,000,000)$
      $+ 5,000,000 + 5,000,000$ ≒ 31,700,000원 미달

  2. 기호#나

   1) 물건의 가격(40m²) : $450,000 \times 40 \times 10/40$ ≒ 4,500,000

   2) 이전비(시설개선비 제외)

    $2,000,000 + 1,200,000 + 1,000,000 + (15,000,000 - 5,000,000) + 3,000,000$
    $+ 3,000,000$ ≒ 20,200,000

   3) 결정 : 이전비가 큰바 물건의 가격로 결정함. ≒ 4,500,000원

Ⅲ. (물음 2) 영업 손실의 보상평가액

  1. **영업허가를 득하고 영업장소가 적법인 경우**

   1) 개요

   개인영업으로서 영업의 이전에 대한 영업 손실로 평가하며, 휴업기간의 영업이익 및 감소분에 고정적 경비, 이전비, 감손상당액, 부대비용 등을 합하여 평가함.(휴업기간은 4개월을 적용함.) (칙§47①)

2) 영업이익

(1) 재무제표기준

① 2021년 : 180,000,000 - 87,000,000 - 35,000,000 ≒ 58,000,000

② 2022년 : 200,000,000 - 95,000,000 - 40,000,000 ≒ 65,000,000

③ 2023년 : 240,000,000 - 113,000,000 - 50,000,000 ≒ 77,000,000

④ 3년 평균 영업이익(4개월) ≒ 22,222,000

(2) 과세표준액 기준

$(110,000,000 + 120,000,000 + 150,000,000)/3 \times 0.2 \times 4/12$ ≒ 8,444,000

(3) 동종 유사규모 업종 기준 : $220,000,000 \times 0.3 \times 4/12$ ≒ 22,000,000

(4) 최저 한도액(도시근로자 월평균 가계지출비 3인 4개월)

$3,000,000 \times 4$ ≒ 12,000,000

(5) 영업이익 결정 ≒ 22,222,000

재무제표를 기준으로 한 영업이익은 동종 유사규모 업종의 영업이익과 상호 유사하고 최저 한도액 이상이므로 이를 기준으로 결정함.

3) 고정적 경비 : $600,000 \times 4/12 + (500,000 + 1,200,000) \times 4$ ≒ 7,000,000

4) 이전비 : 3,000,000 + 2,000,000 ≒ 5,000,000

5) 감손상당액 : $30,000,000 \times 0.1$ ≒ 3,000,000

6) 부대비용 ≒ 2,000,000

7) 영업 손실액

$22,222,000 \times 1.2 + 7,000,000 + 5,000,000 + 3,000,000 + 2,000,000$ ≒ 43,666,000

2. 영업허가를 득하고 영업장소가 무허가 건축물인 경우

1) 개요

무허가건축물에서 허가를 득한(사업자등록을 행한) 임차인의 개인영업의 이전에 대한 것으로서 이 경우 영업에 대한 보상액 중 이전비 및 감손액을 제외한 금액은 1천만원을 초과하지 못한다.(칙§47⑥)

2) 보상액의 결정

10,000,000 + 5,000,000 + 3,000,000 ≒ 18,000,000원

3. 무허가 영업이고 영업장소가 적법인 경우

   1) 개요

   무허가 영업의 보상특례(시행규칙 제52조)에 의하여 도시근로자가구 월평균 가계지출비 3인 가구 3개월에 해당하는 금액과 이전비용 및 감손상당액을 별도로 보상한다.

   2) 보상액 : 9,000,000 + 5,000,000 + 3,000,000   ≒ 17,000,000원

4. 무허가 영업이고 영업장소가 무허가 건축물인 경우

   1) 개요

   무허가 건축물에서 임차인이 무허가 영업을 영위하는 경우 영업 손실의 보상대상이 되지 아니하며, 다만 영업시설 및 상품 등의 이전비용 등은 별도로 보상을 한다.(칙§55)

   2) 보상액 : 5,000,000 + 3,000,000   ≒ 8,000,000원

▌저자약력 ▌

■ 감정평가사 김 사 왕

- 제일감정평가법인 본사 이사
- 한국감정평가사협회 감정평가기준위원
- 국방부 국유재산 자문위원
- 국방부 위탁개발사업 적정성 검토 자문위원
- 국토교통부 중앙토지수용위원회아카데미 강사
- 한국부동산원 보상자문위원
- 하우패스감정평가학원 실무강사

■ 감정평가사 김 승 연

- 하나감정평가법인 이사
- 한국감정평가사협회 연수위원
- 하우패스감정평가학원 실무강사

■ 감정평가사 황 현 아

- 하나감정평가법인
- 하우패스감정평가학원 실무강사

〈저자 3인 공·편저〉
- 플러스 감정평가실무연습 입문·중급 · 기출
- 감정평가실무와 이론 Ⅰ Ⅱ
- 감정평가실무 필기노트 Ⅰ Ⅱ
- 감정평가실무 노트

[제6판]
PLUS 입문 감정평가실무연습 Ⅱ (예시답안편)

2015년　3월　3일　초판 발행
2016년　3월 18일　제2판 발행
2018년　3월　5일　제3판 발행
2020년　3월 13일　제4판 1쇄 발행
2021년　4월 28일　제4판 2쇄 발행
2022년　4월　4일　제5판 1쇄 발행
2024년　3월 19일　제6판 1쇄 발행

저 자 / 김사왕 · 김승연 · 황현아
발행인 / 이 진 근
발행처 / **회 경 사**
　　　　서울시 구로구 디지털로33길 11, 1008호
　　　　(구로동 에이스테크노타워 8차)
전　화 / (02)2025-7840, 7841　　FAX /(02) 2025-7842
등　록 / 1993년 8월 17일 제16-447호
홈페이지 http://www.macc.co.kr
e-mail /macc7@macc.co.kr

세트가　39,000원
ISBN 978-89-6044-251-1　14320
ISBN 978-89-6044-249-8　14320(전2권)